新潮文庫

おはん

宇野千代著

おはん

一

『よう訊いてくださりました。私はもと、河原町《かはらまち》の加納屋《かなふや》と申す紺屋《こうや》の悴《せがれ》でござります。生れた家はとうの昔に逼迫《ひつぱく》してしまひ、いまではこのやうな人の家の軒さき借りて小《こ》商《あきな》ひの古《ふる》手屋《てや》、もう何の屈托もない身の上でござりますのに、何を好んでいらぬ苦労するかとおもひますと、わが身の阿呆《あはう》がをかしうてなりませぬ。

へい、あの女《をなご》は、實は私の女房ではござりませぬ。いまから七年ほど前に、生れてはじめて馴染《なじ》みました町の藝者《げいこ》でござります。私より一つ齢上《としうへ》の卅三、名前はおかよと申します。あなたさまもご存じの、半月庵《はんげつあん》の抱へであつたのでござりますが、いまでは自分でに鍛冶屋《かぢや》町《ちやう》の裏手に細い《こウま》家持つて、ほんの一人か二人の女衆《をなごし》をおいたりして、藝者屋をいたしてをります。私はその女の家に寢とまりして、ここへは晝食《ひる》の辨當もつて通うてゐるのでござります。

古手屋とは名《なア》ばかり、お客さま相手に茶をたてたり、すきな花を生けたりしてますのでござりますが、収入《みいり》というたら、わが身ひとりの小遣銭にも事かかんならんやうな、まア言うたら女《をなご》に食はしてもろうてる、しがない男でござります。

あれは去年の夏、盆も間近かの或る晩のことでござりました。

町の寄合ひのくづれで、よそのお人と二三人あの臥龍橋《ぐわりようばし》の橋の上でええ心持になつて風にふかれてゐてたのでござります。すると誰やら、白い浴衣《ゆかた》きた女がすうつと私のすぐ傍《ねき》をすりよつて通るのでござります。この廣い橋の上をあなに近うに人の傍を通らいでもと、さう思うて顏みますと、別れた女房のおはんでござります。思はずあと追ひさうになりながら、お人の手前もござりますけに、わざとに間《まア》おいて急いで警察の横手までいきますと、あとから私の來るのが分つたのでござりませう、くらい板塀のところで待つてをりました。「おはんか。かはりないか。久しいかつたなア」と私は申しました。

あのあたりはちやうど藪堤《やぶづつみ》の蔭になつてをりますので、晝でも淋しいやうなところでござります。川風が絶え間なしにさあアと藪の上をふきぬけてきましてなア、そのたんびに川向うの糸くり工場から女衆《をなごし》のうたうてる唄が手にとるやうに聞えてくるのでござります。

おはんは白い浴衣きて、見覚えのある手《て》織縞《おりじま》の帯をしめてをりました。どこというて男の心ひくやうな女ではござりませねど、いつでも髮の毛のねつとりと汗かいてゐますやうな、顏の肌理《きめ》の細《こま》こいのが取柄《とりえ》でござりましたが、そこの板塀にはりつくやうな恰好して横むいてゐるのでござります。「何やて？　子供もたつしややて？」と私はたたみかけて申しました。「へえ、この春から、もう學校へ行きよります。」やつと口の中で申すのでござります。「いつやらお前にあひに行《い》て、そや、子供の顏も見たいと思うたのやつたけれど、劍もほろろにお母《か》はんに突きだされた。それア俺の方が、何ぼう蟲のええこと考へとるかわからんけど。」と、やくたいもないことをぼそぼそというてます中に、もう戀しうてならん女と無理無體に仲せかれてでもをりますやうな、をかしげな心持になつたのでござります。

　この女房のおはんとは、七年前あのおかよのことがもとで別れたのでござります。私は女の家へ行てしまひ、おはんは新門前《しんもんぜん》の親の家へ引きとられ、それはかういふ狹《せエ》まい町の中のことでござりますけに、あはうと思へば何ぼでもあひさうなものでござりますのに、もう久しいこと出あひもせなんだのでござります。

　へい、おはんが子供を生みましたのは親の家へ往《い》てからでござります。男の子で、名前は悟《さとる》と申します。ほんに小說みたよな話でござりますが、二人いつしよにをります中は、もうながい間子供がほしいほしいというてまして、お大師さまに願かけたり、易者に見てもろうたりしてたのでござります。それでいよいよ別れんならんといふときになつて、氣がついてみたら子供が宿つてゐたのでござります。

ほんに一しよにゐてます中におぎやアと生れてをりましたら、私も迷ひはせなんだやろと思ふのでござりますが、そんでゐて、かういふときの男の心いうたら、畜生みたやうなものでござりますわなア。七年ぶりにあうた女房の口から、現在血をわけたわが子が學校へいきよるときかされましても、へえ、さうか、知らん間に大きうなりよつたなア、とは思ひましたれど、それでどうぞかうぞしてやりたいとは夢にも思はなんだのでござります。

子供のことよりも何よりも、私にはいまそこの眼の前にたつてゐるおはんの心の中が氣にかかつてなりませぬ。それアもう、ほかに女《をなご》をこしらへて、罪咎《つみとが》もない女房を塵芥《ちりあくた》のやうにすててしまうたのでござりますけに、おはんのお袋《ふくろ》さまには勿論のこと、世間のお人にどう思はれてをりませうとも不足には思ひませぬ。それアもう、覺悟の上でござりますけれど、ただ、いまそこにゐてます女房のおはんにだけは、どうでも惡うは思はれともない。あの男はいまよその女と一しよにゐてるけど、そりや、よんどしやうむないことがあつてのことやろ。しんから薄情な心があつてのことではないやろ、とさう思うてもらひたいのでござります。

「なア、あのな、大名小路《だいみやうこうぢ》の角に吉田屋て花屋があつたやろ、あそこの店かりて商賣してるのや。朝早うはをらんけど、晝すぎやつたら、たいがい往《い》てる。裏のおばはんにもよう話しておくけに、一ぺんあひに來てんか、」とあとさきの考へもなう、いうてしまうたのでございます。

それやもう、そのやうなことというて女の氣をひいたり、早ういうたら、もう一ぺんおはんと撚《より》もどして、もとの夫婦になりたいと思うたりしてたのではございませぬ。ただその一ときの間でも、おはんの心をしづめたい、恨まれてゐともない、とさう思うてゐたまでのことでございります。

ほんに人の心ほど淺墓《あさはか》なものはございりませぬ。いうたらほんのその場きりの、阿呆《あはう》なてんがうでございりますのに、「分つたな、」と私はおはんの肩を押すやうにして低い聲して申しました。「誰やら向うからきよる。早う行《い》き、」と申しますと、おはんははじめて顔あげて何やらものいひたさうな眼をしてちらつと私をみましたが、それなり、あとも見んと馳けていてしまうたのでございります。

そのおはんの白い浴衣きた後姿が藪堤の一本道をずうつと向うの方へだんだんと小さうなつて、たうとう曲尺町《きしものちやう》の露路《ろおぢ》の方へ見えんやうになつていてしまふまで、私はそこにたつてゐたのでござります。

あと追ひかけていこか、いやいかんとこ、とその間中、迷うてゐたのでござりますが、まアいうたら私の、これが心の迷ひのはじまりでござりました。

二

それからしばらくの間、私は何となうおはんのあひにくるのを心待ちにしてゐたのでござります。夏の祇園祭もすんで、秋の恵比壽《ゑびす》さまも間近いと言ひますのに、おはんのやってきさうな氣配《けはい》はござりませぬ。私は相かはらず大名小路の出店へ通うてゐたのでござりますが、晩方、店の暖簾《のれん》をおろして、さて一服と煙草をすひながら往來の人通りをぼんやりと眺めてますと、わが身の上の安穩《あんのん》なのが、なにやら不思議に思はれるのでござります。「おばはん、ではお願ひ申しますで、」というて、いつものやうに裏手の家へ聲をかけ店の鍵を預けると、そはそはとわが家へもどるのでござりますが、ちやうど日の暮れ方で、鍛冶屋町のあたりは一日の中で一ばん活氣のあるときでござります。お茶屋へよばれていく藝者《げいこ》たちの、わが手に褄《つま》とつて歩いていくのんもあり、人力《りんりき》に乘つていくのんもあり、私はその灯のついた色町の軒さきを、人目をはばかるやうにして小走りに走つてもどるのでござりますが、わが家の格子をあけるかあけん間に、奥からおかよの癇高い聲がして、「あんたはんかいな？」といひながら走つてでてくるのでござります。

玄關と茶の間の間に、形ばかりの屛風をたてて、その蔭に晩飯の膳がそろへてござります。膳の上にはおきまりの酒も一本つけてござります。

女どもはたいがい出たあとで、おかよにとつては、やつといま手があいたといふときでござりますので、髪もひつくくるやうに鬢《びん》つめて、浅黝《あさぐろ》い顔に白粉《おしろい》もつけず、わざとに年量《としかさ》な粧《つく》りをするのが癖でござりましたが、それでもしやんと着がへはすましてをりました。

「かうして差しむかひで飯くうてて、お前、なんともないかいな。ひとの女房のけて一しよになつたのやけに、ときには濟まんと思ふこともあるやろ、」とある晩のこと私は、おかよにきいたことがござります。

半分は酒の機嫌もござりましたが、まアいうたら、わが心ひとつにつつんでおくのが切なうて、思はず口にでたのでござります。するとおかよは、「何でもない。暇とつて往《い》んだ人が損したのや、」と、しん底、何でもないことのやうにいふのでござります。おかよの心にしましたら、まア、これほどまでに何でもないことなのかいなと思ひますと、横着な女《をなご》やと呆れるよりも、なにやら私まで氣樂な心持になりましてなア、忘れるともなく半月ばかりすぎましたある晝すぎ、ちやうど私はお客さまのお屆けもの持つて、そこまで行《い》てこうと、一足でかけたときでござります。

店さきにおいてありますあの石燈籠の蔭におはんが立つてをりました。肩掛で顏かくすやうにしてそこにゐてましたが、私の姿を見ると、逃げるやうな恰好して行てしまひさうにするのでござります。

私はそのあとから、「おはん、おはんやないか、」とよびました。するとすくまつたやうに立ちどまつて、「へい。」と消えるやうな聲でこたへるのでござります。あとでききますと、おはんは幾度もこの店の前まできたけれども、おもての明るい中はどうしてもはいつてはこれなんだ。それで日の暮れるのをまつてから、思ひきつて鍛冶屋町の家の前までいき、あの暗い格子戸の前をいつたり來たりしたことも二度や三度ではないといふのでござります。

私は「早うはいり、」とおこつたやうな聲していうてから、急いで裏手の家へいきました。

「おばはん、いまそこに女房のおはんがきてます。すんませんけど、ちよつとここ貸してもらはれませんやろか、」「へえ、よろし、」とおばはんは座蒲團をつき出すやうにそこへおいて、急いで部屋を出ていきました。おのれの恥をあかすやうで、それまでにはおはんのことなどわれから打ちあけて話したことはござりませせなんだけれど、まア私の狼狽《あわ》てやうでそれと察してくれたのでござりませう、おはんのそこにゐてます間、私のかはりに店番までしてくれたのでござります。私はおはんをつれてそこの座敷へ上りました。

町中の家のことでござりますので、部屋の中は晝でも日の目がみえず、おや、と思ふほどに暗うござります。まア、その家の中の暗さでやつと心が落ちついたのやろと思ひます。おはんはガラス障子の傍《ねき》にすりよつて、おづおづと坐つてをりました。

「ようあひにきてくれたなア。ここやつたら誰もやつてくるものはない。こなことというて惡いかしらんけど、このさきの寺の境内ぬけたら、悟の學校もすぐやぜ。なア、これからもときどきあひにきてもらへるやろな?」と言ひましても、「へい、」と答へるきりでござります。

片手を半纏の襟の下へ入れたまま、かう下むいてるときの樣子といひ、ほうつと肩で息して、それからゆつくりとものいふときの癖といひ、もう七年前とそつくり同じでござります。

うす暗がりの中に、そのおはんの顔のぼうつと白う浮いてるのを見てますと、七年前、あの河原町の昔の家で、泣いて別れたときのことが思ひだされます。家のそとには、はや迎への人力《りんりき》がきてゐるときいて、暗い納戸《なんど》の箪笥の蔭で、泣きの涙で別れたのでござります。

へい、それアもう、飽いて別れたといふのではござりませぬ。おかよといふ女《をなご》ができたからには、いますぐといふては離れられぬけれど、その中には俺も眼が覺めるけに、待ちにくいことやろけど、まア、ちつとの間《まア》だけ待つてゐてくれと、まア、そのやうなことというて往《い》なしたのでござります。おはんの貞節に對しましても、このやうなことといへた義理ではござりませぬのに、魔のさしてゐるときといふものは、何をいふやら分つたものではござりませぬ。

ほんにかうして、いま眼の前におはんの姿をみてますと、ながい間、苦勞かけてすまなんだなアと言ふのさへ氣がひけるよな心持でござります。「そや、うまい菓子が買うてあつた。茶アいれてご馳走せう、」といひながら、そこにあつた茶盆の茶筒とらうと手《てエ》のばしたのと、おはんが茶碗とらうと手《てエ》あげたのとが、はつとあたりました。「おはん、」というて私は、思はずその手をとりました。

ひい、といふやうな聲あげたと思ひますと、その細い、糸みたやうなおはんの眼がつりあがつて、さつと顏から血の氣がひきました。「離して、離してつかさんせ、」と身悶《みもだ》えして、息もとまるやうな聲して申しました。ほんにわが心ながら、何をする氣であつたのやら合點《がつてん》がいきませぬ。

「いやか、こなな男は、しん底愛憎《あいそ》がつきたか、」というてます中に、まアあれが男の出來心と申すものでございませうか。ついさきがたまで、も一度おはんの體に指ふれようなぞとは夢にも思うてはをりませなんだのに、わが身も女の身の上も、もうめちやくちやに谷底へつきおとしてしまひたいといふやうな、阿呆な心になつたのでございます。

ほんに七年といふながい間、身を堅く守つてきたおはんにとりましては、それはまア、どのやうなことであつたかといふことも、あとになつて分つたことでございます。

おはんはながい間そこの屛風の蔭で慄へてをりました。「こないことして、また、あんたはんの家庭をめぐ（こはすの意）かと思ふと、それが恐しうて、」ととぎれとぎれにいひながら、はらはらと泣いてゐるのでございます。

「何いうてる。お前と俺とは子まででけてる仲やないか。今さら恐しいて、何のことがあるかい？」と私はわざとに聲を荒うして申しました。そのやうなことというて、それが何の役に立つものか私にも分りませぬ。

「そやないか。人は何というてようと、お前は俺の女房や。俺はその氣でゐる。」と私は申しました。へい。私はさう申しました。罪深いことというてると思へば思ふほど、なほいうてやりたいのでござります。晝間とも分らんやうな暗い家の中でござりますので、おはんのそのぽつてりとした體を抱いてます中に、なほのこと愚かな心がつのりましてなア、もう身も心ももみくちやに打ちくだいてやりたいと思ふばかりでござりました。

おはんが往《い》にましたのは、まだ表は日のある中でござりました。挨拶もようせず、小腰《こごし》をかがめて、軒したに身をかくすやうにして行てしまうたのでござりますが、しばらくのあひだ私は、もうぼんやりと呆《ぼ》けたやうになつて、そこの上《あが》り端《はな》に腰かけてたのでござります。ああ、俺は何してのけたといふのや、と思ひますと、夢みるやうな心持でござります。

するとそこへ、「ああ、もう往《い》になさつたのやな、」というて、この家のおばはんがもどつてきました。そして私の耳に口よせて、

「ついいまがた、おかよ姐さんが見えましたぞ。うちの人はをりませんかいうて、これ、これおいていかしやつた、」といふではござりませんか。見るとそれは、細い箱《こうま》に、なにやら茶うけの摘《つま》み物いれた包みでござります。間《まア》さへあると何かこさへては届けてよこすのがおか

よのくせでござりましたが、今日はそれを自分でに持つてきたときいて、私はさあアと背中が寒うなつたのでござります。

いま一とき、おはんの出ていくのが早かつたら、ついそこの軒したでぱつたりとあうたであらうと思ひますと、その一ときの間の違ひが佛のお慈悲でもあつたかと、思はずぎよつといたしました。

いまから申せば愚痴になりますけど、なぜにあのとき、あのぞつと鳥肌たつたよなこはさ恐しさが、どうしてもつと身にしみてはゐなかつたのやろ、と恨めしくおもひますのも、阿《あ》呆《はう》な男の身勝手でござります。

三

おはんはそのことがござりましてから、もう十日もおかずに、しげしげとやつてくるようになりました。

「いま、お母《か》はんが風呂もらひに行かしやつた間《まア》にきました。ほんに、親にも嘘いうたりしてなア、」というて、袂を口にあてながら笑うたりするかと思ひますと、またときには、「誰にはばかるものもない、晴れて夫婦《めをと》であつたものが、人にかくれて、かうして媾曳《あひびき》みたよにせんならん。」というて嘆いたりするのでござります。

さうかと思ひますとまた、「なんぼ親が迎へにきても往《い》なななんだら宜《よ》かつた。一たん嫁にきて、どななことがあつたとしても、往んだのがわたしがわるかつた。」というたり、また別のときにはあのおかよのことを、「ほんにあの女いうたら、浮氣なお人やけに、ぢきに飽いて退《の》かはるやろと、さう思うて待つてたに、」というてみたり、それはもうくるたんびに、猫の目みたよに機嫌がかはるのでござります。話することも、口輕るといふほどではござりませねど、しやんしやんときさくにいうてのけたりしましてなア、それアもう、人目を忍んであひにくるのでござりますけに、言ひたいと思ふことは山ほどもござりませうけれど、これがあのおはんか、人にもの問はれても、ろくに返答《へんと》もでけんやうな穩當なあのおはんかと思ひますと、別人のやうでござります。

まアいうたら、そのむら氣なおはんが、私にはなんとも哀れに思はれてきましてなア。秋から冬と日がたつにつれて、離しともない心がつのつてまゐりました。店の商ひも手につかず、一日炬燵《こたつ》にむきあうて、もういつまでももの言はんとじつとしてゐたこともござります。よそに女をこしらへて、一旦いなした女房と、また撚《より》もどして乳繰りあうてる、阿呆な男やといはれましても、なんの返答《へんと》もござりませぬ。

へい、子供のことでござりますか。子供の悟のことにつきましては、わが心ながら私は、まアどういふ氣《きィ》であつたやら合點がまゐりませぬ。

そりや、こなごたごたの中に生れた子でござりますけに、父親の身としましては、哀れはかけにやならん筈でござります。可哀さうに、阿呆な親もつて苦勞してるとさう思はにやならん筈でござりますのに、あのはじめて、臥龍橋の橋の上でおはんにあうたあのときから、ただもう、眼の前にゐてますおはんのことにばかり心がとられまして、子供のことといひますと、ただ話する合間に、そや、あの子どないしてるやろと、思ひ出すのもたまさかでござりました。

ひよんなこと申すやうでござりますけれど、おはんとたびたびあうてます間にも、ただおはんの心つなぎたいばつかりに、なにやら子供子供というてみた覺えはござりますけれど、まアそれもどれほどの考へがござりましたやら。子供に父親のこと訊かれて、なんというてある？　とおはんにたづねましたときにも、「へえ、遠いところへ旅してはる、というてきかしてござります。」というてましたをええことに、もうとんと觸らぬつもりでゐてたのでござります。

いうてみれば、女二人《をなご》の間にはさまれて身のおきどころもない男が、まアどう、子供の行末を考へてやつたりするものでござりませう。

へい、さやうでござります。寺の裏手をぬけて一二町もいきますと、もうすぐそこが學校でござりますので、風の具合で退《ひ》けどきの鐘と一しよにわやわやと子供たちの立騒いで戻つてくる聲が、手にとるやうに聞えて來ることがござります。そなときにも、そや、あの聲の中に子供の悟もゐよるのや、とは思ひませいで、ひよつとあの中に、おはんが子供つれにゐてたりして、戻りにここへ寄りはせまいかと、さう思うて胸騒ぎしたりするのでござります。

そなな薄情な心でゐてたものが、まアようも、かうして人並の親心もつて泣いたり笑うたりすると思ひますと、わが心ながらをかしうてなりませぬ。

へい、ところが、或る日のことでござりました。もう暮に間近うござりましたが、店一ぱいにほかほかと日があたつて、そこの暖簾《のれん》の下の、細《こま》こい石ころの影までぺつたりと地面におちてましてな、もう逆上《のぼ》せるやうなぬくとい日のことでござりました。

「おつさん、」とさういうて、その暖簾のあはひから、誰やら稚い子供がひよつこりと顔出したと思ひますと、

「おうち、ゴム毱ないのん?」と申すのでござります。學校の裏手のことでござりますけに、朝晩そこを通りしなに、何や彼やいうてくる子供はござります。

私はなんの氣もなう、その子供の、ま新しい帽子かぶつたまま、なにやら眩しさうに細い眼《めエ》して、につと笑うてるあどけない顔見ながら、

「毱はないなア、」といひますと、

「ないのん? あこの古手屋へ行たら何でもあるいうてたけどなア、」というて、ちよつとの間《まア》、思ひきりわるう、はにかむやうな顔してたと思ひますと、そのまま、一さんに驅けていてしまひました。はつと思うて私はそこにあつた草履を突つかけました。

「坊《ぼん》! 坊!」と呼びながらあと追ひかけて出てみたのでござりますが、もうそのときには、あの寺の石疊の横手にある、大きな銀杏《いてふ》の樹の向うに見えなくなつてたのでござります。

私はしばらくの間、よう陽があたつて、落葉の一ぱいおちてる道に、ぼんやりと立つてをりました。一體まアなにしに、あの見もしらぬ子供のあと追うて驅け出てきたのやら分りませぬ。

短い絣《かすり》の着物きて、ま新しい、眞鍮《しんちゆう》の徽章《きしやう》のぴかぴか光つた帽子かぶつてる、あの小さな子供のどこが、よその子供と違うてゐたといふのでござりませう。私には分りませぬ。いうてみればただの學校もどりの子供の一人が、もの買ひに寄つたというて、まアこの私の、早鐘《はやがね》みたよな胸の動悸《どうき》は何ごとでござりませうぞ。

その日の日暮れがた、亥《ゐ》の子の團子《だんご》もつてきたというて、おはんがひよつこりまゐりました。話さうか話すまいかと迷うた末、その話をいたしますと、おはんは魂も消えるほどに吃驚《びつくり》して、あの子に違ひない。けさ、麁買ふのやいうて、針箱の抽出あけて錢もつてはゐたけれど、まさかにここへこようとは、というてはぽろぽろと泣いてるのでござります。

ではおはんも何にも知らなんだのかと思ひますと、ここがわが親のゐてる店とも知らずにもの買ひにきたあの子の哀れさ。神佛《かみほとけ》のこと申すは何でござりますが、これも何かのお導きかと思ふさへ恐しい心持でござりました。

その翌《あけ》の日から私はおはんには內緒で學校の前にゐてました。あなたさまもご存じのやうに、學校から新門前の方へもどりますには、この店の方角とはまるで道が違ひます。あそこの藥屋と唐津屋《からつや》とのあはひに大きな椋《むく》の樹がござりますやろ、あの樹の後にかくれてますと、向ひの黍《きび》畑からぴゆうつと寒い風が吹いてきましてなア、黍の枯れつ葉やら埃やらが一ぺんに頰げたにまひかかつて、もう眼も上げられんやうでござりましたが、ひよんなことに、それが何ともないのでござります。ただ、わあつと一ぺんに學校の門を出てくる子供たちの中から、それと見分けようとしましても、一つ家に朝晩ゐてるわけではない親の身の悲しさ、すぐに見失うてしまふのでござります。

へい、ある日のことでござりましたが、時間を見はからうて私は、あの鐵砲小路《てつぽうこうぢ》の堤のところで、あつちい行《い》たりこつちい行たりして待つてたのでござります。あそこから新門前の橋までは、ずうつと一本筋の堤でござります。

もう學校へ行てさへゐたら、必ずこの道をまつすぐにもどつて來るに違ひない、とさう思うて待つてたのでござりますが、一ときの間に向うから、もうたしかにあの子にちがひない稚い子供が、なにやら縕きれみたよなもの持ってふりながら、鞄かけてひよこひよこともどってくるのでござります。

思はずあとさきをみますと、誰ひとり見てるものもござりませぬ。

「坊《ぼん》！　麴もつてきたで、」さういうて私は、そこの道端にしやがみました。へい、麴はあの晩の中に、本町の天狗屋まで行て買うたのでござります。そこの道端にしやがんで、わが子の體に膝すりよせ、手をとつて麴のせてやりましたときの、あの心持は、え忘れはいたしませぬ。

悟はだまつて麹をとりました。ありがたうとも、貰うてええかともいはずに、なにやらまぶしげな眼《めエ》してにつと笑ひました。

おはん　それは一ときの間のことか、ながい間のことやつたか分りませぬ。片側は竹藪の、もう晝中とも思へんほど冷つとしてます中で、風のたびに、ささ、さささと笹藪の鳴るのが聞えました。

さうか、これがわが子か、こなな狹い《せエま》町の中に、一つ町の中に住んでるといふのに、七年といふながい間、顔も見んと放つといたあの子供かと思ひますと、胸がしめつけられるよになりましてなア。

「さ、早う往に！　また今度目のとき、おもしろい繪本そろへておいとくけになア、」といひながら、この稚い子供の、なにやら賴りない蟲みたよな體を、兩手でつき出すやうにしたのでござります。へい、さうします間にも、誰か人目にかかりはせまいかと思ひましてなア。

四

子供の悟にはじめてあの鐵砲小路の堤のところで會ひましたは、あれは去年の暮ちかくのことでござります。やがてのことに春になって、世間はなにやら浮々《うきうき》としてますのに、私の心の重荷は、お蔭でまたもう一つ重なったやうな心持でござりました。

朝早うに眼をさまして、床を列べて寝てますおかよの、ぐつたりと髷《まげ》をおとして、すやすや眠つてる横顔みながら、あアあ、俺はこのさきどないしたら宜かろ、とほうつと吐息せぬ日とてはござりませぬ。なにやらかたかたと勝手もとで女衆《をなごし》の働いてる音にまじつて、町中の家のことでござりますけに、つい壁ひとへの隣の家で、はや眼をさました子供の、おかアちやん、おかアちやんとよぶ聲に、つづいて何やらばたばたと足で疊たたいてるやうな音まで、もう手にとるやうにきこえてきたりするのをきいてますと、思はず息のとまるやうな心持になつたりするのでござります。

それア、いひますれば、かうして、おかよの傍《わき》に温《ぬく》もつて、毎晩毎晩ねてるのでござりますけに、それが可厭《いや》やと申すのでござりませぬ。可厭《いや》やと申しますどころか、明日が日にも、この俺といふ男はこの家から出ていかんならん體やと思ひますと、ひよんなことに、この住みなれた家の中が、二つとない温といところであつたよな氣がしましてなア。いつそのこと、このまま、何事もなう暮してゐられるものやつたら、と思ふこともたびたびでござります。

「あんさん、起きてるのん?」とおかよが、眼のさめるのと一しよに聲かけるのがつねでござります。子供のない夫婦の、なにやらごてごてと寝床の中で話するのが、ながい間の癖でござりましたが、ついその朝も、

「なア、あの朝日屋の無盡講《むじんこう》、今月が満期やで。あれおとしたら、ここへ二階あげて、あてら二人だけの座敷こさへたい思ふけど、どうやの?」といふのでござります。

朝日屋の無盡講といひますのは、この町の銀行で世話してる、細《こま》い無盡のことでござります。月々の掛金いうたら、ほんの蚊の涙ほどの僅かなことでござりますけれど、五年六年と積り積つて、満期やといふときには、みな、それで、身上《しんしやう》ひらく氣《きイ》になるのでござります。

おかよはこの五六年、この無盡講の金つくるために、その金のためばかりに働いてたのでござります。そのためには、店の藝者《げいこ》も一人よそへ遣り、自分でにその代りになつて座敷を

勤めたり、さうかと思ひますと、お人のみえん晝の間は、女衆《をなごし》と一しよになつて、すすぎ洗濯ふき掃除、まア、これが、鍛冶屋町といふ花街《いろまち》で、客稼業《きやくしやうばい》してる女の恰好かと思ひますほど、もう、竈《かまど》の中から出てきたやうな態《なり》してましたりなア、わが女ながらまアようするとと思ふほどでござりました。

ほんに、あの無盡講がおちたら、といふのがこの五六年このかたの、おかよの夢でござりました。「へえ、二人の座敷こさへて、そんで、どない酒盛《さかもり》する氣や？」と申しますのも上《うは》の空、私の胸の中は、なにやらどしんと重《おも》たいものがかぶさりでもしたやうに、重くるしうなつてしまうたのでござります。

鍛冶屋町のこの家は、もともとおかよが前の旦那から貰うた家でござります。見かけはさほどにもござりませねど、ほんの細《こうま》い、猫の額ほどの町家で、玄關と唐紙一重の六疊の茶の間、それに續いた板敷の臺所があつて、その横手から梯子段あがつたとりつきが六疊の座敷でござりまして、東に申しわけほどの物干がござります。客座敷というたら、この二階の六疊一間きりでござりますけに、お人の立てこんだ夜《よウさ》なぞ、もうあの、狹《せエま》い玄關の片隅で、夫婦だき合うて眠ることもたびたびでござります。

「あんさん、呆《ぼ》けてるのんやなア？　はア？　あんまり嬉しいて、返答《へんと》もでけんのやろ。なア、」といひながら、おかよはさつと私の方へ體よせ、「七年も一しよにゐてて、ただの一晩かて、氣を許して寝たことない。なア、あて、どないしても、ここへ二階あげたる。四疊半ほどでええけに、床の間つけて、誰もはいつてこんやうに、よう鍵かけてなア、」というたかと思ひますと、いきなり、その冷こい手を背中《せな》にまはしながら、もう氣の狂うたやうになつて顔つけてくるのでござります。

ながの年の思ひが叶うて、はじめてわが手にわが力で、座敷こさへるといふのでござりますけに、おかよにとりましたら、なんぼう嬉しいやら分りませぬ。あんまり嬉しいて、あとさきも分らぬやうになつてしもてるのやとは思ひましたれど、もう氣の狂うたよになつて顔つけてくるおかよの、まアあの、いつものおかよとは違うて正月の髪結《かみゆ》うてますのんが、思ひもかけず、鬢《びん》つけの匂ひがして、なにやらぺたつと冷こいものが、はだけた私の胸もとにあたりました。はあつ、と私は聲たてさうになつたのでござります。

へい、あの大名小路の裏手の家で、人に隠れておはんと寝るやうになりましてから、まア私は、何をたよりに、この二人の女をだき分けてゐたでござりませう。このぺたと冷こい、鬢つけの肌ざはりは、あれはおはんのものでござります。そなことに、この私は、いま氣がついたといふのでござりませうか。私は息の根もとまつたやうな心持で、おかよの體をのけました。

「阿呆！　もう朝やで、」と、さういうてやるのがやつとのことでござりました。ほんに、それにしましても、それほどにまでもおかよが、わが思ひにばつかり心をとられてをりませなんだら、私のこの朝の口にはいはれぬ恐しい胸の中が、とうに分つてゐた筈やのにと思ひますのも、得手勝手な男の阿呆な繰り言でござりませうぞ。

ほんにいうたら私ほど、犬畜生の姿して生きてるものがござりませうか。私は何も彼も知つての上で、そんで、知らん振りしてたのでござります。おかよのことでござりますけに、明日が日にも大工呼うで、仕事はじめるに違ひないのでござります。一しよに住まうといふ氣はさらさらない、二人のための二階座敷が、明日が日にもこの家《や》の上に建ちはじまるといひますのに、朝に晩に、その大工の鉋《かんな》の音ききながら、私は知らんふりして、このままここにゐてようといふのでござります。

どうぞお笑ひなされて下さりませ。へい。女に銭もらうて、その日の口濡らしてゐる男の、それが性根やと、お笑ひなされましても不足には思ひませぬ。

さやうでござります。私には何もかもよう分つてゐてるのでござります。それア、もう、印判《はんこ》で捺したやうにはつきりと分つてゐてるのでござります。このさきどないしたらええかということは、誰にきいてみるまでもない、もうはつきりと分つてることでございます。

私はおかよに、いまかうして同じ寝床の中にゐてるこのおかよに、かういうてやればええのでございます。「おかよ。俺はもう、この家にゐる人間ではなうなつたのや。譯はあとで人が聞かしてくれるやろ。その譯きいたら、お前も得心してくれる筈や。そんで俺は、明日の朝といはず今夜の中に、人力《りんりき》呼うでくるけにな。俺の荷物というては、あの押入にある行李《かうり》一つだけや。あれのせて、そや、俺の膝の間にはさんで、もう人力一臺で、ここをでてく氣や。そんで、あの大名小路の出店にちよつとの間《まア》ゐてるつもりやけど、賴むけに俺のあと追うてあひになぞ來てくれるな。ほんにこの七年といふながい間、俺といふ男に關《かかは》つて、世間を狹うに暮してきたそのお前に、今更すまなんだと詫いうたりする氣はないけにな、」とさう言うてやればええのでございます。

それだけのことというてやればええのでございますのに、私にはそれがいへませぬ。恐しうていへませぬ。こななこと思ひきつていうてしまうたら、このおかよがどなな顏するか、それが恐しうてではございませぬ。たつたいままでこの女に、もう花も實もある男やと思はれてゐたその甲斐《かひ》が、一どきになうなつてしまふのや思ひますと、それが恐しいのでございます。へい、みな、みな、わが身可愛さからでございます。へい、私は何もかも承知してるのでござります。ほんに、どのやうなお情深い神さまのお心でも、これが裁きのつくことでござりませうか。

そのとき誰やらかたかたと、表の敷石に下駄の齒うちつけては、通つていく音がいたしました。あ、雪やな、と私は思ひました。さういへば、今日は七草《ななくさ》で、新小路の巴座《ともあざ》に朝から人形《でこ》芝居がかかつてるのでござります。そや、今日は人形芝居があるんや、とさう思ひますと、あれはまア、なんといふ心のまやかしでござりませう。私としたことが、ふいに飛び立つたよな心になって、

「さ、起きんかいな、芝居やないか」と、われからおかよの肩に手をかけて抱きおこし、大きな聲して女衆呼うだりするのでござります。

私は、何ごとかといふやうに、勝手もとに走りでて辨當の支度させたり、人力呼びにやりましたり、ごてごてとせからしう指圖をいたしました。さよでござります。もうわれから彈んだやうになつてこまこまと用いひつけたり、そはそはとそこらの簞笥をあけたりいたしました。おかよをつれて人形芝居みせ、まアそんで女の心を喜ばせてやりたいと、しんからさう思うてたのでござりませうか。

こなな私の心は、私にも合點がまゐりませぬ。ほんのいまのいままで、あのやうに思うて

たことでござりますのに、そのわが胸の中の思ひを、一ときの間でもこのおかよに知らせずにすむためには、私はそのとき、もうわれから飛びついて、どなことでもしてのけたやろと思ふのでござります。

おかよは私に急かれてやうやう床から起き、ゆるゆると雨戸をあけました。「ほ、えらい雪、」というて、長襦袢一枚の、痩《や》せて細《ほそ》こい體して袖かき合せて立つてゐるおかよの、科《しな》つくつて、なにやら安堵しきつてるその後姿を、私はいまでもえ忘れはいたしませぬ。おかよはそとの景色見て、私の名を呼うで何やらうきうきというてをりましたが、私は覺えてもをりませぬ。神さまがご覽《らう》じてて、もし、罰おあてなされるといふよなことがござりましたなら、ああ、それは、このときの私の身に違ひござりませぬ。

五

話があとさきになりましたが、子供の悟は、いつぞやあの鐵砲小路の堤で、はじめて聲かけてやりましてからといふものは、自分でにひよつこりと店へよるやうになつたのでございます。

すぐ裏手の、寺の境内ぬけたら學校でございますけに、つい昨日やつて來たと思うてる間に、つづけて今日もきましたり、さうかと思ふと十日ほども顔みせんことがございましたりなア。

「おつさん、きたえ、」というては、そこの門口《かどぐち》の柱のとこに立つて、にいつと笑うてるのでございます。

短い絣《かすり》の着物きて、ま新しい、眞鍮の徽章のぴかぴか光つてる帽子かぶつて、そこに立つたまま笑うてるあの顔は、いまでも眼のさきにちらついて忘れることができませぬ。さよでございます。悟のあの顔は、私の心の中に灼《や》きついて生涯消えることはないやろと思うてるのでございます。

ほんにいまから思ひますと、あれが、あの子供を待つてる間のせつない思ひが、蟲の知らせといふものであつたのやらも分りませぬ。へい、この大名小路の店で、人にかくれてわが子を待つてをりましたは、去年の暮からこの秋までの、ほんの一年足らずの間でございます。

いうたら蟬の命ほどもない、短い間のことでございますけど、あの夢のやうに過ぎ去つた短い月日のことが、いまでも眼の前にありありとみえてくるのでござります。

ほんに、かた、といふ下駄の音にも、私はどきつといたしました。そこの裏手の寺からぬけて、こつちへ來るのに土塀の築地がござります。その築地の上を、なにやら棒切れ引こずつては音させて歩くのが、ここらの子供の習慣《ならはし》でござりましたが、店の中で、その棒切れ引こずる音を聞いてますと、どこの子供の來よるやら、まだ姿も見えぬ間に、はつと胸さわがせるのでござりました。

ほんに、あのおはんを待つてる心が戀でござりましたら、この子供を待つ心は、これはまア何といふものでござりませう。

「何やな、その足。早う足袋ぬがんと風邪ひく、」と、そなな風なことといううて、わが手に子供の足ひきよせ、足袋ぬがして炬燵にいれてやりましたり、店の火鉢に網かけて、餅やいてやりましたりなア。一日一日と、わが身の業《ごふ》の深うなるとも、そのときには知らなんだのでござります。

へい、子供の悟は私を何と思うてをりましたやら、口に出しては問うてみたこともござりませぬ。母親の口からは、遠いところへ旅してはると聞かされてゐたその人が、ひよつとしたら、ついこの眼の前に坐つてる人やないか、と思ふことがあつたとしましても、どうまア、この稚い者に、それを口にして問うたりする才覺がござりませう。誰もいうてきかせるものはござりませいでも、何やしらん、懷しいとこや思うて會ひに來よるのかと思ひますと、この世の緣も空恐しい心持でござります。子供はようわが家の話をいたしました。だまつてそれを聞いてますと、さういふ氣《きィ》でいうてるのではござりませねど、新門前のおはんの家の中が、手にとるやうに分るのでござります。

おはんの家には、お袋さまのほかに、おはんの弟とその嫁と、細《こうま》い子供が二三人ござります。親代々の米屋で、家中のものが一日中忙しう働いてをります中に、在《ざい》から米賣りにきてます百姓衆やの、馬買ひに寄る馬喰《ばくろう》やの、人の出入りの多い中で、おはんと悟と二人、もう人中に挾まるやうに身を屈《こご》めてくらしてます有樣が、なにやら眼にみえるよな氣がしましてなア。

おはんはその中で、近まはりのお人の縫物など貰うて、細々とその日の口ぬらしてるのやろ、と思ひますと、あの新門前の家の暗い納戸の間で、針しごいてる横顏が眼にみえるやうな氣がしましてなア。明日が日にもどこぞ家さがして、親子揃うて一つ竈の飯食へるものやつたら、と思はぬこととてはござりませぬ。

へい、悟はいつでも、この店の傍《ねき》まできて、店の中にもの買ひにきたお人の姿でもみえますと、ついそこの石燈籠の蔭にかくれて待つてたりするのでござります。上林《かんばやし》といふのが子供の家の苗字でござりますが、私が子供のくるのを待つてて、ものやつたりいたしますと、ときには、ついそこまで一しよについてきたよその子供が、

「あれ見い、上林はよそのおつさんに何かもらうたぞ。先生にいうたらんならん、」などいうて、わやわやと囃《はや》したてるのでござります。親でもなく兄でもない、見も知らぬよそのお人にものもらふはようないことと言うてるのでござりませう。言うたらわけもない、腕白の惡《てん》戲《がう》でござりますのに、日蔭に育つた子供心に、どうそれが氣にかかるのでござりませうぞ。

「な、すぐ行《い》くけに、さき往《い》んどれ。な、」というたりして、なだめてるのでござります。八つにもなるやならずの稚《をさな》いものが、同じ仲間の子供にも氣《きィ》かねてるのやと思ひますと、つい眼のさきが暗うなりましてなア。おもはず、「なに言うてる。親にもの貰うてわるいか。早う行て先生に訊いて來、」と大きな聲してさう言うてやつたらばと、はははは、笑うてくださりませ。やくたいもないことに、わくわくと胸騷がせることもござりました。

　ほんにいまから思ひますと、私はまアどういふ心で、あの子供に會うてたのでござりませう。「悟！　俺はお前のお父《と》はんや。な、お父《と》はんやぜ、」と、なんでひと言いうてやるのが恐《こは》かつたのでござりませう。親子の名乗りさへせなんだら、かうして人にかくれてもの食は

せたり、顔よせ合うて話したりしてようと、そんで浮世の義理は缺けぬものと、さう思うてたのでございませうか。へい、そなな大そうな義理缺いては、誰にすまぬと思うてたのでござりませうか。

あれは春の彼岸《ひがん》の中の日でござりましたが、悟と二人、ここへ坐つて往還をみてますと、びしよびしよと雨の降つてる中を、傘《かさ》もささず濡れていく子供がござりました。「ほら、いま、あこを驅けていた三吉やかて、お父《と》はんゐやはらんのやで、」と、ふいに頓狂な聲たてて悟の言うたことがござりました。そや、よその子供かて親なしはゐよるのや、と子供心にまアさう思うて言うたのでもござりませうか。

その日の暮れがた、いつものやうにさよなら言うて歸つていく子供を呼びとめて、私は、「な、坊《ぼん》、坊もおとなしうにしてゐたら、そのうち、おつさんが迎へに行てやるけにな、」と思はず言うてしまうたのでござります。この粗忽な私の一言が、稚い子供の心の、どのやうな奥ふかくに藏《しま》はれたかといふことも、のちになつて分つたことでござります。

六

お城山《しろやま》の櫻が咲いて、一年に一度の大騒ぎしますのは、この町の慣《ならはし》でござります。近在は申すもおろか、京大阪、門司博多の遠方から、汽車に乘つて錢捨てにくる客のために、町も破れるやうな繁昌でござりますが、わけても色町の景氣は格別で、鍛冶屋町は踊りの山車《だし》ひくやら、花芝居の狂言組むやらで、茶屋も置屋もてんてこ舞ひの騷ぎでござります。

おかよの店でも、抱への女衆二人、手踊りの組にまはつて、その支度やら座敷へいくやら、家の中は足の踏み入れ場もない始末で、

「おきよどん、お前そんで髮結うた氣でゐるのかいな。とき子は今夜、もどつたらすぐに半月庵やぜ。ほれ、衣裳揃てるやろなア？」とおかよは一日中、聲たてて勝手へ行《い》たり店へ出たり、もうひとりできりきりと舞うてるのでござります。

いつぞやお話申しました、あの建増しの二階座敷は、彼岸前に疊建具入れて、いうたらそ

こが、おかよと私との新しい居間になつてたのでござりますが、ちやうど私は、花の騒ぎの十日ほど、あの大名小路の店は生花の陳列に貸してしもうて、朝から家にゐてたのでござります。

女の丹精した座敷の中で、かうして煙草くはへてでんと坐つてゐてましても、ここをわが住家ともおもうてゐられぬ身の因果。塀のそとを浮かれて過ぎる人聲にも、なにやら心の急きたてられる思ひがしましてなア。

ほんに常日頃、女の背中に逃げかくれて、これがわが家業とも思うてなんだ返報には、いま家中の忙しさに、手を貸してやらうにも、三味線絲のしまひ所さへわからぬ始末でござります。

あれはその日の晝すぎ、ばたばたと女衆の出拂うたあとのことでござりました。おかよは外出の衣裳つけたまま二階の障子あけて、

「あのな、お仙のとこから、近い中に來たい言うて手紙きてたけど、」といふのでござります。

「お仙て何や?」と私は申しました。

「何やて?」とおかよは申しました。見なれない髪結うて、白粉つけてる顔の、なにやら險にみえましたのも、私の僻目《ひがめ》でござりませうか。

「せんどから、よう言うてあるやないの。お仙て、讃岐《さぬき》のお仙やがな、」といふのでございます、さういへば讃岐《さぬき》の高松に、おかよの姉が一人あつて、そこにお仙といふ細い娘《こうま》のあることは、誰かに聞いたことがございます。そのお仙を呼うで、いまの中から下地つ子にして育てたいと、たしかにおかよの言うてたのを聞いたことがございます。

いうてみれば、かうして念がとどいて、新しい座敷ができたのでございますけに、せめてのことに子供がほしいと思ひますのは、それこそものの順序でございます。

そや、その娘《こ》呼うだらええなア、とそのとき、私もたしかにさう思うたのでございますが、それにしてもあれはまア何といふ、心の迷ひでございませう。そや、お仙呼うでその間に、その間にやつたら、もしひよつとこのままここを出んならん破目になつたとしても、あとには子供がゐてる。さうなればそれだけでも、おのれの心が輕うなる、と咄嗟の間に思うたのでございます。

「ふうん、その娘いくつやて？」

「十三や、柄が大きいけに、すぐにでも役に立つやろ思てるのん、」とさう言うて、

「なア、こなな忙《せは》しいときにもう一人、助《す》けてくれるもんゐてたら、ええけになア。ふん、あの娘、細いときは摘うだやうな鼻して、可愛いい子やつたけど、」とおのれのその言葉に、

われにもなくうつとりしてるおかよの顔をみてますと、なにやら胸の騒ぐやうな心持でござりました。

ほんに人の心ほどあさはかな、頼りないものがまたとござりませうか。ひとの娘もらうて育てたいと言うてる女の顔を眼の前に、さもいとしげに見てゐながら、まアこの私の、心の中は何思うてゐたといふのでござりませう。

「ええな、來い言うたら、明日にでも來るや知れんけど、」念おすやうにさう言うて、そはそはとおかよの出ていきましてからのちも、私は呆然とそこに坐つてゐたのでござります。

遠い町から聞えてくる山車の囃しの音にまじつて、わあつといふ人聲のするたびに、眼の前の手摺《てすり》にかけた新しい手拭が、風になびいてるのでござります。いまが人の出盛りで、つい眼の下を、白粉つけた男の、首に花さしたり、瓢簞《へうたん》さげたりして浮かれていく姿をみてますと、私の胸の中には、一どきにさまざまな思ひが湧きあがるのでござりました。

どれがあとやらさきやら、わが心にも覺えがござりませぬが、去年の夏、おはんにめぐり合うてからの、言葉につくせぬかずかずの心の重荷が、なにやらすうつと輕うなるよな氣がしましてなア。へい、私はこのとき、もう一度おはんと家もつて、わが子の悟そだてる決心をしてしまうたのでござります。

ああ、それにしましてもこの歳月《としつき》、私はこのこと一つに關《かかは》つて、こと細《こま》かうに膳立てして、このおかよと連れ添うてたのでございませうか。へい、そなな酷いとも得手勝手とも知れぬことしてのけてたのでございませうか。何といはれませうとも、心にはかけませぬ。

私はあの子供の悟と一つ家に寢起きして、おのれの血筋の子供の口から、「お父はん、」と呼ばれたいのでございます。おのれの血をひいた子供がいとしいのでございます。

それア、人さまの眼からご覽《らう》じたら、道端に生えたぺんぺん草の實ほどもない、はかないものではございますけれど、私にはこの、おのれの血筋をうけた子供がいとしいのでございます。さよでございます。あの子供の賴りない、蟲みたやうな體だいて、「悟！ 俺はお前のお父はんや、」というてやりたいのでございます。そや、おかよの出てつたこの間に、と咄嗟の間に思ひつきますと、私はそのまま板草履つつかけて、

「おとよどん、ちよつと店まで行てくるけにな、ご寮人《りよん》はん戻らはつたら、花の生替へに行た言うてな、」と申しのこすも上《うは》の空《そら》、騒がしい家々の軒下ぬふやうにあたふたと大名小路の店まで行き、おはん呼びに人をやつたのでございますが、こなな命の瀬戸際にも、まだ、一しよにゐてる女の眼をはばかり、ぬす人みたよに忍んで行くこの私の有様を、どうぞお笑ひなされてくださりませ。

へい、おはんの會ひにきましたのは、その日もくれてからでござります。かた、と裏木戸のあく音がして、

「お晩で、」といふ細《こま》い聲が聞えました。

「おはんか、」といひながら障子をあけますと、ちやうど木戸のあはひから、河原町の堤のあたりであげてるのでござりませう、揚げ花火の夜空にあがつてぱちぱちとはじけたと見る間に、雨戸のそとに身を寄せて、おどおどとお高祖頭巾《こそづきん》の紐といてるおはんの姿が、その明るいあかりの中に、ぱつと照らしだされたのでござります。あ、というておはんは顔をかくしました。

「早う上りんかいな、」とわざとに聲たてて、

「ほんに、花の咲いたも知らんでるやろと思うてはゐたけれど、」といふ間ももどかしく、手をとつて座敷の中へひき入れたのでござります。

へい、私は今宵こそ、このおはんの顔を、もう何のはばかりもない心で見ることができるのでござります。ながの歳月ふびんをかけて、合はす顔もない思うてゐたこの切ない胸の中が、もうからりと晴れるよな心持でござります。

「な、俺は決心したで。一しよになる決心したで。」と私はおはんの肩を抱きながら急《せ》きこん

だやうになつて申しました。

「な、もう苦勞させエへんで。俺ももう、これまでみたよな古手屋ぢやない。車もひく。市へも行く。」と言うてる間に、私の眼からはぼろぼろと涙がこぼれてまゐりました。ほんにこれからは、子供の悟を中にして、おはんと二人ひとつ家の中に寢起きして、道にはづれぬ暮しするのやと思ひますと、とめどもなく涙がせき上げてくるのでござります。

「なア、細こいもの片つけて、さア言うたらその日にでも、家移り出來《でけ》るやうにしてな、」と言ひますと、まア何といふことでござりませう、おはんは、はあ、と息をして體をあとへひきました。

「堪忍して、あんさん、堪忍しとくなはれ、」というては、あとへしさるのでござります。

「あてはやつぱり、このままでゐてます。へい、このままゐてる方が勝手だす。」

「何いうてる、」と私は女の手をおさへ、おもはず大きな聲して申しました。「そんで子供にすむか。悟を父《てて》なし子にして、そんでお前すむ氣か。」この期になつてまだ尻込みしてると思ひますと、私の心はたかぶりました。

それア、おはんのことでござりますけに、明日にも鍛冶屋町の家を出て、親子三人ひとつとこで暮す氣やと言うてこませたとしましても、さうか、そんならあてはすぐに出て來《こ》う、と二つ返事で言ふわけはござりませねど、それにしても、この恐しげに肩ふるはせて、猫みたやうにあとしさりしてゐるさまを見てますと、私は思はずかあつとなつたのでござります。

「ふん、いややて? 一しよになるの、いややて?」とあとさきもなう聲たてて言ひますと、おはんは、

「あんさん、何いうて、」と言うたかと見る間に、いきなり私の胸もとへ跳びかかつてまゐりました。そのまま顔よせて、ひーいイ、ひーいイと聲たてて泣きはじめたのでござります。

そのぬくとい、湯のやうな涙のわが内懐《うちふところ》を傳うては流れるのが、なにやら肝にしみるやうに思はれてきましてなア、

「はあ? うれしいか? うれしいと言うてくれ。おオ、泣け、泣け、」と私はおはんの背《せな》を抱いたまま、氣が違ふやうになつて申しました。

何どきたつたやらわかりませぬ。春とはいへ、火の氣のない炬燵の、蒲團ひき合うては肌よせてたのでござりますが、ぱらぱらと庭の木の葉にあたる雨の音がしたと思ふと、俄かにざあツと降つてきました。

私はいまでも、あの雨の音を忘れることはできませぬ。ああ、俺はいまこそ眞《ま》人間になれ

るのや、と思ひますと、わが身の上とも思はれぬ心持でござりました。

やがて雨の小休《こや》みを待つて、おはんの往んでいきましたのは、はや何どきでござりましたやら。ついそこの寺の横手まで送つていき、そこの築地の、銀杏の樹のとこまでひとりで戻つてまゐりますと、行く手に誰やら人の影がして、

「あんさん？　あんさんやないの？」と呼びかけました。暗い境内の、ぼうつと一面に雨靄のこめてる中に、頭髪《あたま》といはず肩といはず、浴びたやうに櫻の花びらつけて雨にぬれ、座敷着《ぎ》きたまま、大きな茶屋の番傘さしてる女の姿が、ふいにまざまざと見えたのでござります。

「おかよか、」と私は聲をのみました。

「そなとこで何してる。」

「ふん、人力できたのやけど、そこの角で往《い》なしたのや。なア、傘もつて迎へにきたのやで、ほんに、あてが傘もつてこなんだら、あんた、どうする氣やの？　へえ？　ほんに世話のやけるお人や。」

醉うてるのでござりませう、二足三足、よろよろとそこの築地の端にこけかかり、そのまま、どしんと私の胸に體をよせました。

「これ、この着物、どうするのや、」と申しますのも、やうやうでござります。

へい、この一瞬の間に、私の心の底をよぎりました空恐しさは、何に喩《たと》へることができませう。ほんにもう一とき、おはんの往《い》ぬるのがおそうござりましたら、この同じ境内で、ぱつたりと會うたに違ひござりませぬ。ついいまのさきまで二人で肌よせて、このおかよから退《の》く相談してたのやと思ひますと、ぞうつとみぞおちの抜けるやうな思ひでござりました。

忘れもいたしませぬ。あれは去年の惠比壽さまのあとの、はじめておはんと忍び逢うた晩のこと、ちやうど今夜をそのままに、ほんの一ときの間の違ひでおかよの眼を逃れたときの、あの身の毛のよだつよな恐しさを。へい、のどもと過ぎたあの恐しさを、今夜はまたもう一度くりかへしたのであつたかと思ひますと、そこに立つてる足もわななきました。

ついいまのさきおはんに對して大そうな口きつた、その舌の根も乾かぬ間に、私はこの醉うてる女の肩抱いて、

「ほれ、こなに、肩も袖も濡れ鼠や、」とおのれの聲とは思はれぬやさしい聲して申しました。ほんにまア私は、何してたといふのでござりませう。心も空な手つきして手拭とり、屈うだり立つたりして、雨にぬれてる女の着物をふいてたのでござります。おかよは體そらして、私のするままになつてをりましたが、

「ほ、着物の一枚二枚惜しうて、好きな男と寝られるかいな、」となにやら浮きうきと鼻唄み

たよに節をつけ、
「さア、往んで寝《ねよ》う。今日はうちの妓《こ》、どの妓もどの妓もみなよう賣れて、もどつて來よりやせん。あてら二人《ふたアり》きりや。なア、これから往《い》んで飲みなほして寝う。早う寝う、」と、はあ、はあ、まだ年若い女みたよに息はずませ、そのまま私の手《てエ》とらんばかりにして急きたてるのでござりました。

七

ほんにものごとの右左に分れるときと申しますものは、わが心にも合點の行かぬほど、あつちこつちになるものでござります。へい、讚岐の高松から娘のお仙の出てまゐりましたのは、あれは花が散つて間もなくのことでござります。

おかよによう似て、色の黝《くろ》い、大柄な娘でござりましたが、見る間に垢抜けてきましてなア。紅白粉つけますと、これがあの娘かいな、と思ふほど愛くるしうになつて來るのでござります。

「ほんにあの娘、ただで拾うてきたよなもんやのに、案外や。なア、よその子もらうて、そんで錢になつたら雑作ないなア、」とおかよは夜寝てからも口癖のやうに申しました。

おかよにとりましたら、わが血をひいた姉の娘やといふばかりか、朝に晩に手鹽にかけて、やれ踊の稽古の三味線のと追ひたてたりしますのも、いうたらわが身の生計《たつき》のもとになる、大切な娘やと思うてるけにござります。それやもう、毎朝のやうに生玉子のませたりしましてなア。

「なにや、生の玉子いややて。阿呆いはんとするつと一氣に呑み。ええ聲になるでエ、」と言うたりするかと思ひますと、夜《よウさ》は自分でに糠《ぬか》袋さげて風呂屋へつれて行《い》たり、もう端の見る眼もあまるほど愛《いと》しげにしてますのも、いうたらわが家の繁昌ねがふ心やと、さう思うてる有様がようわかるのでござります。

「お仙、お仙、さつきにから呼うでるの聞えんか、」と癇《かん》たてたよに言うてゐるおかよの聲の、日がな一日聞えぬときとてはござりませぬ。たまさかに夫婦揃うて町あるくことでもござりますと、おかよは呉服屋の店ごとに足とめて、

「あの友禪、お仙の振袖にええなア、」なぞと言ひましたり、また或るときは茶の間の隅に私

を呼び、なにやらごてごてと置きならべた棚の上の、細い用箱の蓋とって、「ほれ、この中にお仙の講掛《こうか》けの銭《ぜに》ためてあるけにな、秋の恵比壽さままでには披露目《ひろめ》せうと思てるのん、」言うたり、それアもう、おかよの胸の中にあるのはお仙のことばつかりかと思ふほどでござります。そななこと思ふたびに私は、おのれのわびしい心の中にひきくらべ、誰はばかる氣《きイ》もなく娘の世話して暮してるこのおかよの有樣を、どうまア、けなるう（羨ましうの意）思はずにをられうぞと思ふのでござります。

ほんに娘のお仙まで、うちへ來ましたその日から、何のためらひもなく『お父はん』と私を呼びました。十三といひますのに、髮を勝山に結うて、なにやら媚態《しな》つくつては、「お父はん、これ何やの？」など言うたりして、私の袂おさへたりするのでござります。

ああ、それにしましても、人の娘に『お父はん』と呼ばれるのが、それがいやいやと申すのでござりましたら、それは私の得手勝手でござります。ひとつ家《や》の中に起伏して、顔洗ふ手拭とるにも下駄とるにも、稚い女の、柔こい手のぺたとわが身に觸《ふ》れるたびに、あの大名小路の店で、人にかくれてわが子の手《てエ》ひき寄せたときの哀しい心持に思ひ紛れ、思はずぎよつとするのでござりました。

日の暮れがた、それは毎度のことでござりますが、わが家の前までもどつてきますと、門口の柳の木の蔭から、あけひろげた二階座敷の、簀《す》の子の簾とほして、トントンと疊ふんでは踊の稽古してゐるお仙の姿が見えるのでござります。

「ほれ、その手《テエ》あげて、チン、雨《あめエ》のオ、トン、降るウ日《ひイ》もオオ、雪のオ日も、」と聞えてくる、おかよの甲高《かんだか》い口三味線《くちじゃみせん》の聲まで、なにやら私には、わが身に關《かかは》りのない、遠いよその世界のことのやうに思はれましてなア。ついおのれの家までもどつてて、われにもなくそこの暗がりに立ちすくむのがつねでござりましたが、あれはまア何といふ心の迷ひでござりませう。そや、悟はいまごろ何してるやろ、と思はず心につぶやくのでござりました。

あれは梅雨《つゆ》にはいつて間もなくのこと、或る晩おかよは座敷に招ばれて、遅うにまで戻らぬことがござりました。藝者屋の娘のつねとて、お仙は夜更けまで何やらごてごてとしてゐましたが、やがてのことに二階の梯子あがつてきて、障子のそとから、

「お父はん、そこにゐてはる?」と聲かけるのでござります。

「何や、はいつてきてもええがな、」と私は申しました。

色町のことでござりますけに、雨の音にまじつて、つい軒さきを驅けて行く人力の轍《わだち》の音や、客を送りだす女衆の聲、木履《ぼくり》の音が手にとるやうに聞えるのでござります。

見ればお仙はこの夜更けに、髪の風なら化粧なら、まアどこの雛妓《こども》かと思ふよな態《なり》しまし

てなア、ぺたりと私の横手に膝つけて坐りました。

「いんまなア、豆腐屋町の大工さんとこの若い衆がきて、何や彼や言うてつたわ。」

「若い衆て、留吉か、」と私は申しました。この春、ここの二階の建増しに、仕事しにきてました親方とこの若い衆が、この頃もよう遊びにやつてきて、風呂の焚《た》き物くれたり、押込みの棚なほして行たりしてますので、調法《てうはふ》な男やと思うてたのでござります。

「ふん、お仙ちやんほどええ女は鍛冶屋町にもゐんやろて。なアお父はん。あて、なんぼでも男だまして銭とるわな。ええ着物《べべ》こさへたり、そりや金持になる積りやけになア。ほんとやでエ、お仙ちやんさへゐてたら、ほんに金のなる木植ゑたもひとつやて留さんも言うてたわ、」

「ふウん、さうか、」と私は申しました。

　實のこと申しますと、おかよの腹にしましても、人の娘そだてて、そんで銭とるつもりばかりはござりませぬ。そのつもりばかりはござりませねど、いつの間にやらこの稚い女の、銭とることを待ちかねて、あどけなう受け賣りして自慢らしう言ひますのも、いうたらこちらの心根《こころね》のなす業やと思ひますと、なにやら罪深いことに思へましてなア。

「お前、藝者になるの好きか。」

「ふん、お父はんかて藝者好きやないか。男はみな藝者好きなんや、」とお仙は首すくめて、ふふと笑ひました。

「あて、聞いたでエ。なアお父《と》はん、お父《と》はんいうたら藝者好きで、そんでうちのお母はんに迷うてしまひなさつたのやて、さうかいな。なア、お父はんの嫁はん、いんまも新門前にゐてはるのやて。」

「何いうてる、」とおだやかには申しましたものの、思ひもかけぬお仙の言葉に私はうろたへました。

「ふウん、お父《と》はんいうたら赧うなつて。ほんと言うたらな、留さんとこ新門前のお家のすぐ近所やて。そやけに、その嫁はんにもよう會ふのやて話やけど、何や近ごろ、えらう綺麗に髪結うたり、やつしたり、ええ男でけたて評判やて。」

「お仙、」と私は申しました。留吉といふ若い衆の、何思うてこの稚い娘に話したかは知れませぬが、おのれの女々しい心から、この一年の間、人にかくれておはんと忍び會うてることなぞ、誰知るものもないやうに、まアさうばつかり願うてました私には、寝耳に水でござります。

へい、おのれひとりの內證ごとと思うてゐたそのことが、世上の口にのぼるばかりか、はやつい足もとの、この家《や》の內にまで聞えてきたかと思ひますと、空恐しさに、さあツと背筋が寒うなりました。

「ふん、男の癖して、ようぺらぺら言ふわなア。お仙、お前、そなな阿呆《あはう》なこと人に言うたら不可《あか》んでエ。」

「分つてるがな、そやけど、なにやらいふ男の子がゐてるて、それ、ほんとかいな。その子供がゐてるけに、いんまにお父はんは新門前へ行てしまひなさるに違ひないて。なア、嘘やなア、この家にかてお仙がゐるもんなア、お仙が子供にきてるもんなア、」と言ふのさへ半分は鼻聲で、甘たれたよに私の肩ゆすぶつてゐますとき、じやりじやりと表の砂ふむ人力の音がして、がらツと格子があき、

「ただいまア、ご寮《りよん》人はんのお歸りイ！　北のお方のお歸りやでエ、」と醉うてるおかよの甲高い聲が聞えました。

「あ、お母はんや。お父はん、いんまの話、內證や、內證やでエ、」といひすてて、お仙はころがるやうに梯子を馳けおりて行《い》たのでござります。

八

へい、私でござりますか。あの花の頃の一夜《よさ》、おはんともう一度世帯もつ約束をしましてからはや四月、いまだにここにゐてますのは、おのれにも了見がわかりませぬ。

そりやもう、この頃のことでござりますけに、おいそれと家のあるわけはござりませぬ。人に明かせぬ故あつて、こそこそと手をくばるのでござりますけに、見當らぬが道理と、まア言うたら家のないことが、一ときの間の氣休めでもござります。おはんと世帯もたうにもその家がない。いまではそれが氣休めにならうとは、おのれの心とも思へませぬ。

あれは七夕《たなばた》のあけの日のことでござりました。暑い日のことで、店へ行くとすぐに私は、冷こい水もらはうと裏手《うらて》へまはりますと、待つてたやうにおばはんが出てきました。

「あんさん、家ありましたでエ。川西の奥の、ほれ、あのお大師《だいし》さまの横手に、」と言ふのでござります。

「へえ、あのお大師さまの、」と申しましたきり、私は井戸端へ屈《こご》みました。

「ほれ、あの製絲の旦那はんとこの借家や。あすこにゐてた女衆が、俄かのことで上方へ行たのやて話やけに、なアあんさん、善は急げや、今日、日暮れにでもご寮《りょん》人さん連れて行て見なさつたらと思ふのや。な、話はあとで決めておくけに。」

「へい、そやつたらもう、願うてもないことや。けど、おはん呼びに行《い》て、うちにゐてますやろか。」

「そや、急いで寺の衆に行てもらお、」と言ひすてて、轉げるやうに馳け出て行たおばはんの後姿を、私は呆然と見送つたのでござります。

ほんにこの世に私ほど阿呆な男がござりませうか。あれほどにおはん口説《くど》いておきながら、たしかにいま、ここにその家が見つかつたといふことが恐しいのでござります。

寺の衆が呼びに行て、おはんが家にをりましたら、今夜にも家移《やうつ》りの決心せねばなりませぬ。へい、おはんともう一度世帯もつ決心をするからには、鍛冶屋町の家は捨てる覺悟せねばなりませぬ。

そりやもう、とうの昔に分つてるそのことが、いまこの、咄嗟の間まで伸ばし伸ばしして きたことが、その最後のどん詰りまできたのやと思ひますと、ええ、何とでもええよになつたれと、なにやら肝のすわるよな心持でござりました。「そや、いまが最後のどん詰りや。」と私は心の中で思ひました。

やがてのことに寺の衆がもどつてきて、おはんは日暮れになり次第こつちへくるといふ返答でござります。

「さア、忙《せは》しうなつてきましたでエ、」といひながら、おばはんは腰あげて奥の座敷へ上りました。

「濟んませんけどあんさん、ちよいと手《てエ》貸してもらひますえ。これで、ご寮人《りよん》さんの嫁入道具にも、日が當てられるいふもんや。こなひだ中の雨で、ほれ、折角の蒲團が黴《かび》くさうなつてるわ、」と言うてそこの押入あけ、ぱんぱんと蒲團たたくのでござります。へい、おはんはもう先から、何やかとここへ物あづけてたのでござります。

「ほんに、あてら二人《ふたアり》とも、裸同然の體やけになア、」と申しますのが口癖で、夜の搔巻《かいまき》から小枕、鍋釜、皿小鉢まで運うできたりしましてなア、いちづに世帯もつ支度してたのでござります。

ご寮人さんの嫁入道具と、半分はおどけて言うたりしてますのも、いうたらおはんの心根のいとしさから、家移りやいふ話に、おばはんまで何やら浮きうきしてたのやと思ひます。

それから日暮れまでの小半日、どう過ごしましたやら覚えもございませぬ。おはんは白い浴衣きて、髪を一束にたばねたまま裏手からはいつてきました。あなたさまもご存じのやうに、七夕のあけの朝は、どこの女も川で髪洗うて、その一日束ねたままでゐてますのが、このいらの習慣《ならはし》でございます。

「何や、お前《ま》はんか、」と思はず聲とがらせたのでございますが、そこの土間の薄暗がりに、互ひの顔も見えぬこそ仕合せでございます。

「あんさん、あて、嬉しうて、」というたきり、おはんは顔に袂をあてました。

「ふん、どなな家や知れん中に喜うだら損するわな、」と私は、なにやらぐづぐづと雪駄はき、それはいつもの癖でございますが、暖簾の内から、おもてのあとさき見てますと、さアと涼しい夜風とともに、向ひの露路《ろぢ》のあはひから、蚊遣《かや》りの煙の立ちのぼるのが見えました。

日の暮れて間のないのに、はや寝支度をしてますのか、かちやかちやと蚊帳の吊り手の鳴る音、つづいて誰やら人を呼うでる聲など手にとるやうに聞えます。そや、おかよはいまごろ二階座敷に膳ならべて、人のもどりを待つてるやろと思ひますと、かうして二人の女に挾まれて、心も空でゐてますので、何や、うとましうなりましてなア、ふいに後を振りむき、

「な、俺は河原町通つて行くけに、お前、沖野屋の裏ぬけて行き。な、あのお大師さまの横手の、杉垣のとこで待つてるけにな、」というて、おのれひとり、すたすたと出てしまうたのでござります。いうたら明日にも家もつて、晴れて夫婦《めをと》になるのやといひますのに、なんでこの夜道を、人にかくれて別々に行たりしますやら、わが心ながらをかしうてなりませぬ。

星の明るい晴れた晩でござりました。臥龍橋《ぐわりようばし》から河原町へぬけて、拔け殼みたよにふらふらと歩いてゐたわが姿が、いまもおのれの眼に見えるよな心持でござります。

せん度《ど》も申しましたよに、私はこの河原町の生れでござります。七年前に逼迫《ひつそく》して、捨てしまうた親代々の店の、いまは人の手で近在に鳴りひびくほどの醬油屋、見覺えのあるその門口を通るたび、氣のひけたも昔のことでござります。それアもう、ここが昔のわが家とも思はず過ぎるのがつねでござりますのに、芝居の伊左衞門ではござりませぬが、今宵はその掛け行燈の暗い灯が、なにやらもの言うてるやうに思はれましてなア。

あなたさまもご存じのやうに、夏場はあのすぐ下の、廣い河原がさかり場でござります。河原を屋臺の氷店やの、小屋がけの見世物やのの灯が、ほほづきみたよに見えましてなア、河原を驅ける人の足音、呼び聲にまじつて、川瀬の速い水音を聞きながら、私は川西へかかる龍江の、あの木立の中を蓼うつつで抜けました。あのあたりは晝でも暗うござります。道をおほうた大樹のあはひに、ただ一とこガス燈のともつてますのが、却つて暗さをますよに思はれましてなア。

「そや、あれが首縊り松やな、」と私は、われとわが思ひに囚《とら》はれて、おもはず暗い淵を見下しました。暗い夜空をうつした水の面の、なにやら足を吸ひ込むやうに見えますのも、氣の迷ひでござりませうか。

へい、その淵にかぶさつて低う突き出て見えるあの松に、誰やら首縊つてのけたといふのは、細《こうま》い子供らまで、よう知つてる話でござります。

そりやもう、誰知らぬものもない話でござりますけに、なにやら名物見てるよな氣《きイ》でなア、「ふん、ありや首縊り松や、」と見過ごしてたのでござりますのに、今宵はその木影が、なにやらわが身に關りのある、身に覺えのあるもののやうに見えましてなア。そのまま、ふらふらと淵に沿うて歩いてますと、この四五日の雨に、ところ樽はずり落ちてゐたごろた石に足とられ、あつといふ間にこけ落ちたのでござります。

へい、そのあたりは一面に、濕つた苔が生えてるのでござりますけに、あの松の、太い根つこがござりませなんだら、もうそのまま苔に足すべらせ、眼の下の暗い淵へ、ざんぶと身を投げてたにちがひござりませぬ。へい、首縊つて死ぬのやなうて、ごろた石に足とられて死ぬとこやつたと思ひますと、なにやら膝がすくみましてなア。それなりそこに這《は》ひずつて、一とき屈《かが》うでたのでござります。

ほんに死ぬる氣もなうて、足ふみはづして死ぬときもあるのやと思ひますと、人の命ほどはかないものはござりませぬ。

見れば向ひの河原に、涼み臺出して茶屋の花茣蓙敷き、女に三味線ひかせて唄うたうたりしてゐる人の、顏は見えませねど、世にもおどけて屈托なくしてますのも、あれはつい昨日までの、この私でござります。唄うたうてるかと思ふと、ふらふらと淵へはまつたり、明日にも知れぬ人の命やと思ひますと、そこに屈うでゐてます間も、なにやら夢みてるよな氣《きイ》でござりましてなア。

へい、その一瞬の夢の間に、そや、俺アいまここで死ぬとこやつたな、と我知らずもう一ぺん繰りかへして心に思ひ浮べたといひますのも、あれが蟲の知らせであつたかと、いま思ふさへあとの祭りでござります。

お大師さまの横手にある借家まで行たのはもう、程經てからのことでござります。

「あんさん、」とおはんは驅けてきました。「あて、ところ聞き違へたのや知らん思うてなア。

ほんに手間《てま》いつたわな、どこぞ寄らはつたん？」

「ふん、もうちよつとでお陀佛や、龍江んとこで滑つたわな」と思はずその話しますと、おはんはあつと聲たてて私の袂つかみました。去年、誰それの川へはまつたも、あれも七夕のあけの日の晩やつた、というて、恐しげに身を寄せるのでござりました。

「阿呆やな、俺アここにゐるやないか、」と言うてる間に、なにやら浮きうきと氣が輕うなりましてなア、われから先きにその背戸口の扉を押して、裏庭へまはつて行たのでござります。

その高い杉垣の内側《うちら》にかくれて、小い《こウま》藁家《わらや》がござりました。へい、今朝も裏のおばはんの話きき、そや、あの家やな、とあたりはつけてゐましたれど、かうしてわが眼でしげしげと見るははじめてでござります。そりやもう、一眼で、女圍《をなごかこ》うだりするやうなひつそりした家でなア、背戸の庭の思ひのほかに廣いのが取柄でござります。

つい昨日、誰やら宿替して行たばかりの、繩きれやの木箱やの、紙屑やののまだそのままそこに散らばつてますのが、ぼうと暗がりの中に見えました。

雨戸もあいたまま、なにやらふウんと埃くさい臭ひのする縁側に腰かけて、

「ふん、こりや、ええ具合や、ここやつたらはいつてきたかて人の眼につかんわ、」と私は思

はず言うたのでござります。

そりや、もう、杉垣の横手がちやうど入口でござりますので、お大師さまのお看經《かんきん》の聲まで手にとるやうに聞えますのに、垣の內側《うちら》はまるで屛風立てたやうな具合でなア、參詣のお人の眼もとどかん具合になつてるのでござります。

ほんに言うたら私には、家の內外の有樣より、この家の中に住みついて、そんで人眼に立つかどうか、案じられるのはそのことでござります。

「ほほ、また言うて、」とおはんは輕う笑ひながら、

「あんさんたら、癖やなア。ここへ宿替してしもたら、もう、世間晴れてのわが家とちがひますかいな、」と言うたと思ひますと、私の傍《ねき》にすり寄つて、すうと身を寄せてまゐりました。

そのときの私の心の中を何に喩へたらよかつたでござりませう。そや、俺アここでこの女と一しよにくらす約束したのやな、と思ひますと、この見知らぬ家の中の、埃くさい溫氣の中で、平氣で女と腰かけてゐるわが身のほどが分りませぬ。

どこやら暗い叢で喧《かしま》しうに鳴いてゐる蟲の聲、遠い在所のあちこちから風に乘つて聞えてくる盆踊りの稽古太鼓、その聞きなれた音までが、なにやら身の行く先を急きたてるよな心持でござりましてなア、すぐ傍《ねき》に腰かけてるおはんの、そのねつとりと汗かいたよな體のぬ

くみに、そりや、もう、遠い昔に忘れてしまうたはずの夢でございますのに、われから好んで引き込まれる心になつたのでございます。

「どや、まだそこに一枚、莚《むしろ》が敷いてある、」と、そのままおはんの帶を手繰つて、暗がりの床の上に轉がしました。

いま思うても私には、その夜の錯亂した心持は何であつたやら、皆目合點が行きませぬ。暗い床の上に屈《ここ》まつて、猫みたよにくたくたとなつてる女の體おしのけて、私は庭へ下りました。「へん、お前そんで何しにこの借家見にきたのや。ここでかうして家見たら、たしかにこの女と、天下晴れて夫婦やと言ひ切る氣《きイ》か。それほど男らしうに何時なつたのや、」とわれとわが身を嘲笑《あざわら》はずにはゐられませぬ。

實のことといひますと私には、いまここに眼の前に、たしかに宿替出來《でけ》る家があつたといふことが、いまだに納得出來ませぬ。「こりや、ほんまか。こなとこで旦那らしう、庭へ出たり、木戸あけたりしてるのはこの俺か、」と呆れるほどの心持でございます。

いうたらこの日暮れに、人眼忍んで女と家見にきましたも、そりやもう、明日にも世帶もつその支度やなうて、その明日といふどん詰りの、抜きさしならぬときの來るまで、一とき伸ばしに伸ばす手段《てだて》やと思ひますと、わが身の阿呆がをかしうてなりませぬ。

思へばあの春の櫻の夜、無理からにおはん口說いてもう一度世帶もつ約束をしましてから、一日として安穩に過ごした日はござりませぬ。

このままで行きましたら、毎日の新聞にも出てますやうに、三人の中の誰か一人、川にはまるか、首縊つて死ぬかしますより、ほかに手段《てだて》はござりませぬ。というて、そのどちらかの女に、「大事ない、何にも言はずにあてはこのまま退《の》くけに、」と言はれたとしましても、「へえさうか、そんなら賴むけにさうしてくれ。俺も心が輕うなるけに、」と言うたり出來ませうか。

「あんさん、」と暗い家の中からおはんの呼ぶのが聞えました。私の胸の中をそのまま見通しでもしましたが、

「あの、あのな、」と言ひ淀み、

「おかよはん、家移《やうつ》りしてもええて、納得しなはつたのやな、ほんまに納得しなはつたのやな。」

「したとも、」と私はわれ知らず、きつぱりと言うてのけたのでござります。

「おかよが納得せんで、なんで家見たりするかいな。しやうむない、子供には替へられん言うてな、」と言うてます中にも、ほんにこれがおかよの言うてくれたことやつたらと、心も動《どう》

顛《てん》する思ひでござりました。

見るとおはんは暗い中に屈まつて、両手を合せて拜うでるのでござります。

「どうぞ堪忍しとくれやす。子供がいとしいばつかりに……」

「ふん、おかよかて分つてるがな。お仙もらうて育ててるのも、半分はそのつもりや。」

「ほんに、かうして會うてもろてるだけでも、濟まん濟まん思てるのに、」といふおはんの聲も、參詣のお人の、絶え間なしに鳴らしてる鈴の音に掻き消えて、あとは泣き聲だけきれぎれに聞えました。

あれは何といふまどひでござりませう。心も空に、おはんのその泣き聲を聽いてます中に、そや、鍛冶屋町でもいまごろ、お燈明あげてるとこやな、と思ひますと、「お母《か》はアん、行つといでやアす、」と聲はりあげ、おかよの人力《りんりき》のあとから、カチカチと火打石鳴らしてるお仙の様子がまざまざと眼に見えるのでござりました。

へい、いまのいま、二人していとしいと言ひ合うたわが子の悟の姿やなうて、人の子もらうて育ててるその娘の有樣を思ひ浮べるとは、ほんに不思議な心やと思はずにはゐられませぬ。

九

あの七夕のあけの晩、おはんをつれてお大師さまの横手の家を見に行きましてからのちのことは、お話し申すも愚かしいことばかりでござります。

へい、あの家でござりますか。裏のおばはんの口利きやいふことで、後家賃の敷金《しきぎん》もいらず、戸障子も疊も、前の女衆《をなごし》のおいて行たをそのまンまといふ、もう何から何まで願うてもないことばかりでござりますので、

「ほんに、あるとき言うたら、こなな間《ま》のええ家があるけになア、」と言うておばはんは、私の顔見るたびに聲おとして、

「あんさん、よう暦《こよみ》繰つてなア、今度は宿替へと嫁取りと一緒やけに、ええ上にもええ日を選つてなア、」といふのでござりました。

ちやうど夏の休みの間のことでござりますけに、子供の悟も、川へ泳ぎに行たもどりに、

濡れた着物ぶらさげて、よう店へも寄りました。

へい、このあたりの子供らはどこの子供も、夏の休みいうたら、泳ぎを習ふのが習慣《しきたり》でござりましてなア、細い《こウま》體に褌して、裸のまンま町中を歩いてますのがきまりでござります。

その日は俄かの雨で、あなたさまもご存じの、あの鍋町の旅宿屋《はたごや》の男衆《をとこし》が、店の上《あが》り框《がまち》に腰かけて雨宿りしてたのでござりますが、篠《しの》つくやうな雨や思ふと日が出てなア、そこそこに行てしまうたのでござります。

私は下駄はいて、日覆《ひおひ》おろす氣《きイ》で庭（店の土間のこと）へ下りますと、そこに、その葦簀《よしず》のあはひに、子供の悟が裸のまま、ずぶ濡れになつて立つてるではござりませぬか。

「阿呆やなア、雨やいふのに、立つて濡れてる奴があるかいな、」と私はわざとに手荒う腕とつて、店の中へ引き込うだのでござりますが、ひよろひよろと上り框に倒込《こけこ》うで、ぺつたりと手《てエ》つき、私の顔見たときのあの子の眼を、いまでも私は忘れることが出來ませぬ。

「へえ、よその男衆がゐたけに、そんで中へはいれんのか、」と私は、その濡れた子供の褌とつて、手《てエ》やら頭やら背中《せな》やらそれさへも分らずに、夢中になつて拭いてたのでござりますが、人並みに日に灼けた、その細い、痩せた手足のまま私に縋りついたと思ひますと、悟はなにやら涙聲になつて、

「おつさんの嘘ばつかり……」と言ふのでござります。

「何や、何が嘘や、」と私はあしらふやうに申しました。みるみる店の中までカッと照りつけて來る西日うけて、葱《ねぶか》の莖はどもないその子供の、細い頸筋の慄へてるのを見てますと、俄かに胸の中が騷がしうなりましてなア、わざとに浮きうきと聲たてて、悟の肩を小突《こづ》きました。

「ほれ、何が嘘か言うてみ。」

「ふウん、おとなしうにして待つてたら、迎へに來る來る言うて……」

「ほん、そやつたら坊《ぼん》、お母《か》はんに聞かなんだか。川西のお大師さまの横手にええ家があつて、もうぢつきに、宿替するのやでエ。どや？　あこの橋渡つてすぐやけに、學校行くのに、新門前の家の半分道もない、」といふも上の空、そや、たしかに迎へに行てやると、はつきりとこの口で言うたわな、と思ひますと、あの春の彼岸《ひがん》の日、やつぱり雨の降る中を傘もささずに濡れながら、この店さきを驅けぬけて行《い》たよその子供の姿まで、まざまざと眼に浮んできたのでござります。

あの日から今日までの小半年、この覺束ない子供の心の中で、今日か明日かとその日の來るを待つてたかと思ひますと、その母親のおはんに對して、あれやこれや一寸逃れの言譯いうては過ごしてきたこの半年の間の術なさも、ものの數ではござりませぬ。

そや、この子供ひとりのために、宿替へせにやならんのや、あの横手の細い家で、親子三人枕ならべて寝にやならんのや、と俄かに急きたてられたよな氣になつたのでござります。

「なア坊、あの家行たら、ええ具合やでェ。坊は學校行く、おつさんは店へ來る、ちやうど道づれになるやないか。」

「……」悟はだまつて眼を伏せました。

「坊！　どうぞしたのんか、このおつさんと一しよに、毎朝行くん言うてるのに、そんで坊、嬉しうも何ともないのんか、」といひますと、みるみる庭の土の上にぼたぼたと涙をこぼし、

「そやけど、そやけど……」といひながら、その揚げ戸の蔭に身をかくし、しやくりあげては泣くのでござりました。

私の耳には、いまでもあの悟の泣き聲が聞えてくるよな氣がいたします。二人の女に挟まれて、今日はかうと決心をきめながら、その心の下からまたかうと、日毎に惑ふ心の中のあさましさも、おのれの心の弱さゆゑ誰知るはずもないものと思うてたのでござりますのに、では、この、稚い子供の悟にだけは知られてゐたと言ふのでもござりませうか。

「な、坊、坊はそんで、まだおつさんが嘘いうてると思てるのか、」と言うてる間も私は、その鐵砲小路へつづいてる雨上りの往還を思はず見上げたのでござります。

俺アあの道を、この子供つれて毎朝通うてくるやろか。あこの橋を渡つたら、すぐそこの横手が、あのおかよの家のある鍛冶屋町やといふのに、平氣でひよこひよこ歩いてくるやろかと思ひますと、わが身の上とも思へぬ心持でござりますのに、あれはまアなんといふ不思議な心でござりませう、その空恐しさをなほのこと掻きたてるよな氣《きイ》になつたのでござります。

「そや、今日こそ宿替への日《ひイ》きめるけにな、坊が來ててええ具合や、さ、坊、こつちへ來《きイ》、」と言ひさま私は店の奥へはいりました。裏手の雨戸あけますと、嘘みたよに涼しい風がさアと吹きぬけました。

「坊！　早う來んかいな。坊とおつさんと二人して、暦の日、繰るんや、坊が自分でに、日きめるんや、」と言ひますと、そこに、そのうすぐらい床柱に、富山の薬やの、種物の袋やのと一固めにぶらさげてある暦《こよみ》とるかとらん間に、はやそこに、悟がきて屈《かが》うでるのでござります。

「なア、九月の月にはいつてから一番のええ日や、大安《たいあん》と書いたる字《じイ》、坊、讀めるなア？　大安やでエ。」

親と子とただ二人、膝をならべて息してゐたあの一瞬の間の哀しさを、思ひ出すさへあとの祭でござります。二百廿日のあけの日、九月の十三日といふところに、大安と大きく書いてあつたを見つけましたのも、わざとに子供のせゐにしてやりますと、もう轉がるやうに驅けて行てしまうたのでござります。

「おつさん、また來るけにな、な、九月の十三日やな、」と嬉しげに言ひながら、寺の横手の裏道へたちまち見えなくなつてしまうたのでござりますが、瘦せた細い體に褌して、着物ふりふり驅けて行たその稚い後姿が、あれがこの世の見納めにならうとは、まア、どう思ひかけませうぞ。

十

ほんにこの世にまたとない阿呆な男のくどくどと、いつ果てるとも知れぬなが話を、ようお腹立ちもなうお聞きなされたあなたさまでさへ、實はついその日の朝まで、あの鍛冶屋町の二階の間で、おかよと枕ならべて寢てましたのやと申しましたら、まアどのやうにおさげすみなされることでござりませうぞ。

その日の中の出來ごとは、いま思ひ出しましても夢のやうでござります。

子供のない夫婦の、朝はいつまでも寢床の中で、ごてごてと暮し向きのことまでも話し合ふのがつねでござりましたが、昨日までの暑さにひきかへ、その日の朝は、枕許の屛風のかげから、すうつとうすら寒い風が忍び寄るよな氣《きイ》がしましてなア、おかよは夜のあけあけから、薄い蒲團かきよせて、わざとのやうに足からませて來るのでござりました。

「あて、どないしよう。寒うなつて、何や心細うて心細うて、」と作り聲して、私の懷の中まで顏さし入れるのでござります。

へい、それはもういつものことで、年嵩《としかさ》な女やとも露思うてはゐませぬに、なにやらことさらにお俠《きゃん》な娘みたよに振舞うてますのが癖でなア、雨戸のあはひからさしこむ陽ざしの、きらきらと明るうなるまで寢たまま、他愛もない繰《く》り言《ごと》をつゞけてたのでござります。

「昨夜《ゆんべ》もな、半月庵のおばアはんの話やけど、あてほど間のええ廻り合せのもんはない、と言うてはつたわ。かうして新しうに二階は建てる、貰ひ子した娘は何や、鍛冶屋町でもいつちええ女になりそやし、おまけにあんさん言うたら、こなにあてを愛しがつて、」と、それはもう、唄の文句になつてるよな風に言ふのでござりますけに、言うたら寢言の續きやと氣樂ウに聞き流せばええのでござりますのに、なにやら心が騒ぎましてなア、うけ答への輕口も、空々しいよな心持でござりました。

「お父《と》はん、ちよいと、」と、そのとき、足音を忍ばせて梯子段を上つてくる氣配がして、障子のそとから、お仙の呼んでる聲がしたのでござります。

「何や、」と言ひさま、私は體を起しました。おかよは私の袖おさへ、

「何やな、お父はんはまだ夜中やぜェ、まだ眼がさめんわなア。」

「ふウん、お父はんにちよいと用や。」

「阿呆やなア、用やつたらさつさとそこで言はんかいな、」とまだ浮きうきと言うてるおかよの體おしのけて、あわてて帶をたぐりながら、障子のそとへ出て行たのでござります。

「大名小路からお人や。背戸のとこで待つてはる、」お仙は眼顔にものいはせて低聲で申しました。寢間着の浴衣きたまま驅け降りて行きますと、そこの背戸口の木戸のとこに、裏の家のおばはんのそはそはと立つてる姿が見えました。

「あんさん、大八《だいはち》(荷車のこと)が來てなア、荷物もあらかた積んだのやけどな。」

「へえ、いンま、」と言ひかけて、あとは聲も出なんだのでござります。

へい、今朝は早うにから手筈して、あのお大師さまの横手の家へ、いよいよ宿替するのやといふことは、あの子供の悟と約束しましてからのちに、このおばはんまで仲間に入れ、も

う繰返し話し合うて決めてたことでござりますけに、いま、このお人の眼の前に、やたら縞《じま》の寝間着きて、帯結ぶ間もないやうな姿して立つてるおのれの風體《ふうてい》の、まアどう言ひ抜け出《で》來《け》ませうぞ。

「ほんなら一《ひと》つ走《ばし》り、さき行つてるけに、」と言ふもそこそこ、あたふたと出て行てしまうたおばはんの後姿を、呆然と見送つてをりますと、はやそこに、私の腰のあたりに肩ならべて、お仙が立つてをりました。

「へい、着物、」見ると手に、私の糸織《いとおり》の縞《しま》の單衣《ひとへ》に博多の帯揃へて持つてゐるではござりませぬか。まだ十三になるやならずの娘の身の、何事とも知らぬまま、おもしろげに聲ひそめて、「あて、お母《か》はんに知れんよにと思うてなア、難儀したわ、」と、大げさに顔しかめるのでござりました。

酢《す》いも甘いも嚙み分けて、ようご存じのあなたさまながら、そのときの私の、まア、どういふ氣《きイ》でのこのこと家を出て行きましたやら、ご存じよりもないことと思ひます。もし、二階の寝床から、一言でもおかよの呼びかへす聲がしましたら、よもやよう出はせなんだやろと思ふのでござりますが、お仙のくれた着物きて、なにやら土偶《でこ》みたやうな風してなア、人のするままになつて、ふらふらと家を出たのでござります。

「お早うさん、ええお日和《ひより》やなア、」と、行きずりの豆腐屋の、聲かけて驅けぬけて行きますさへ、私には夢のやうでござります。「これがあの、家を出るいふことか、女を捨てて行くいふことか、」と繰り返し思ふさへ、他人事《ひとごと》みたよな心持でござりました。

土手を下りて行きますと、はや大名小路の店の前に、荷を積み終へた大八の、きらきらと朝の陽をうけて横はつてるのが見えました。

車力屋の若い衆の、道傍で一服してる有樣まで、なにやら大仰に、芝居じみて見えましたも、いまから思へばよくよくと、思ひ惑うて定まらぬ、おのれの哀しい心柄ゆゑでござります。

おはんはそこに、荷を積み出したあとの、繩きれやの木屑やのの一面に散らばつた店の框《かまち》に腰かけて、茶ア掬んでるところでござりました。

「あんさん！」と言ひさま驅け出てまゐりましたが、なにやら上氣してなア、汗かいた髮の毛の、ぺつたりと頰にかかつたその顏の、これがあのおはんかと思ふほど、きらめくやうに見えましたも、思へば不思議でござります。

「ようまア、早うに來ておくれやしたわなア。はや、大八が出るのやいうてるけど。」

「へえ、ほんで悟は？　悟はどないした、」とせはしなく訊きましたも、おのれの胸の術なさを、かくさうためであつたやらと思ひます。

「へえ、あの子なア、晝過ぎまでには必ず歸すいうて、ほれ、あんさんも知つててやろ、あの、南河内《みなみがうち》のおつさまが、昨日つれてお行《い》きたのやわ、」と言ふのでござります。

「權現《ごんげん》さまの秋祭やいうてなア。ほんに今日の宿替のこと、言うてええやら惡いやら、つい思案のつかん間に、悟、早うせんかいな言うてせついてなア。言うたら聞かんお人やけに、そのまま出してやつたのやけど、まア、その、門口出るときの、悟の顏つきいうたらなア、ほほほほほ、あんさんにも見せたいくらゐやつたわなア、」と言ふも浮きうきと、しばらくは汗ものごはず、前掛を口にあてたまま、笑うてるのでござりました。

そのおはんの笑ひ聲は、いまでも耳に聞えてくるやうな氣がいたします。私はせはしなく股引に腹掛かけ、

「ほんなら、俺は大八のあと押すけに、」とそのまま往還に驅けでたのでござりますが、横手の寺のあはひから、思はず見上げた坂道の、土手からつづいて峠へ出るその道を、そや、あの子、おつさまのあとついて、あの山道を行つたわな、と思ひましたも束の間、

「なア、おばはんにさう言うて、早う行かんと荷が着くぜえ、」と聲あげて、新しい家へと出て行《い》たのでござりました。

十一

土手から河原町へ出て、龍江の崖つ淵へ抜けるまでの裏道は、晝も陽のささない山蔭でござりますのに、思ひのほかに坂つづきでござりましてなア、まア、こなな罰當りの、何ひとつ力業《ちからわざ》したこともない男の、車のあと押してる間も瀧のよに汗流して、息つくのもやうやうでござります。

「そや、俺ア、これ、この通り、車押してるのや。ほんに俺ア、しやうむない男やけど、――」と、やくたいもないぼそぼそと、わが胸に呟きながら、あれはまア何といふ、阿呆な心でござりませう、言うたら、こなな、頭を低うさげて車押してるのも、なにやらおのれの罪深い心ざまの償ひでもしてるよな、ひよんな氣《きイ》になつたのでござります。

「旦那さん、今日はまた、龍江の底がむやみと蒼いなア、雨でござりますぜエ、」と、車力の若い衆が申しました。

あの龍江の崖のとこは、上り下りの人たちの、申し合せたよに足とめるとこでござりましてなア、そこの木の根方に腰下して、一服してたのでござりますが、あれはあの七夕のあけの晩、同じこの龍江で、足ふみはづして危う命おとし損うたときの恐しさも、つい昨日のことのよでござります。

「ほんに、いつ見ても氣味惡いとこや。」

「ほれ、あこの岩のとこに、一つ枝が出てますやろ、あの松の枝に、去年首くつたおとき婆がひつかかつてなア、もう、ながいことひつかかつたまま風に搖られてなア、町の消防の衆がみな河原へ寄つたりして、えらい騒ぎしたのやけど、」と、また、あの松に首くつた人の話をして、おもしろげに笑ふのでござりました。

山道を吹きぬける風の、ざあと音たてて水の面へ吹きつけるのでござります。その淵の渦巻の、きらきらと陽をうけてくるめきながら川下へ流れて行くさまの、なにやらもの言うてるよな氣のしましたも、あれも蟲の知らせであつたやらと思ふもあとの祭でござります。

ほんにこの眼の前に、のちと言はずすぐそこに、おのれの上に振りかかる出來事のあるとも知らず、うかうかと見過ごしたのやと思ひますと、人の身の定めなさに、胸もふさがる思ひでござります。

お大師さまの横手の家へ着きましたのは、はや晝過ぎてからでござります。

裏のおばはんの手《てエ》借りて、名《なア》ばかりの宿替ではござりますが、疊も敷き、障子の目張りまで濟ませますと、なにやら人の家らしう見えますも、思へば不思議でござります。おばはんは軒下に人の殘して行た鉢植の夕顔にも水やつたりして、

「ああ、これで、あても肩の荷が下りた。ではご寮《りよ》んさん、ほしいもんあつたらあとからまた運ぶけに、――ほんに今日から、ここが天下晴れての、あんさんらアのお家やけになア、」

と言ふもいそいそと、裏木戸押して歸つて行たのでござりますが、あとはただ二人顔見合せて、おのれらの身のなりゆきに、夢みてるよな心持でござります。

「悟、どないしてるやろ、」と、にはかに縁に出ておはんは申しました。背戸の植込のあたりまで、低うに雲が下りてなア、その雲のあはひから、くるめくやうな陽が出てたのでござります。

おはんの話によりますと、悟は學校の行き歸りに、幾度となくこの家まで見にきてたといふのでござりますけに、あの南河内のおつさまのとこから、まつすぐに戻るのでござりましたなら、おつつけここへ驅け込うで來るはずでござります。

「犬でももどつてくる一本道や。眼《めエ》つぶつてでもこの門へもどるわな。それよりもあの机、

どこへ置いたらええかいなア、」と私は、とうにから悟のために買うておいた小机を、そここと抱へ歩いたりしてます中に、にはかにざわざわと風の渡る音がしましてなア、みるみる遠い山肌の暗うなつたと思ひますと、ぽつりと背戸の池の面に、大粒の雨が落ちてきました。

　蟬の聲が一時にひいて、咲きこぼれた白萩の、さつと池に散りしくのが見えました。

「おはん、雨やでエ、」と呼ぶ私の聲も掻き消すほど凄じい音たてて、木立といはず縁といはず、叩きつけるよな勢で降つてきたのでござります。

　おはんは軒下に驅けり出ると、なにやらけたたましう聲あげて雨戸を締めはじめました。雷の音と一しよに稲妻《いなびかり》がしましてなア、見なれぬ家の中の有様は、なほさら空恐しく見えたのでござります。

「あんさん、悟、どないしてますやろ。」

「だいじないけに、」と私は、聲おとして申しました。

「あのおつさまのことや。山の衆やもの、雨やいうたら、もう、雲ひとつ見れば分るわな。今日は朝の内にから、もようてた（催してゐた、その氣配があつたの意）やないか。」

「そやつたら、まだ、おつさまとこにゐてますわなア。」

「ふん、おつさまとこで、お萩でも食うてるがな、」と申しましたも上の空、この篠《しの》つく雨風の山道を、一散に驅けぬけて戻つてくる子供の有樣が、まざまざと眼に見えるよな心持でござりました。

　そや、たしかに悟はこの雨風の中をもどつて來よるのや、この新しい家へもどりたい一心で、この雨風の中を驅けつて來よるのや、と思ひますと、まざまざとその姿が眼に見えるよな氣《きイ》になつたのでござります。いまになつて思ひますと、あれこそお大師さまのお告げであつたのやと思ひます。

　ほんに人の心持ほど分らぬものはござりませぬ。いまそこに、子供の姿を見るやうにあれこれと案じながら、またもう一つの心では、それはただ一ときの、たわいもない思ひ過ごしであるやうに思はれたのでござります。

「そやつたら、あんさん、あてらアあの重箱あけましよか。ほれ、あのおばはんの持つてきてくれはつた。」といひながら、わざとに氣《きイ》ひき立てるよに浮きうきと、おはんの擴げる包みを中にして、その暗がりの中で、鮨《すし》つまうだり、茶アのんだりしてます中に、あれはまアどういふ氣の變りやうでござりませう、ついいままで案じてた同じことが、みな、おのれひとりの阿呆な思ひ過ごしであつたよな氣《きイ》になつたのでござります。

　そや、悟は今日はもどらんのや、もどるもんならとうの昔、朝の中にからもどつて來よるはずや、あのおつさまのことやけに、用心に用心して、こなな雨もよひの日には、もう、どななことがあつたとしても、もどしては來やはらぬはずや。おまけに今日が宿替へやといふことは、子供の胸の中だけに包うでるに違ひないけに、そやつたらまアなんで、この雨風の中を無理にもどしやはるものか、悟は今日はもどらんのや、と繰り返し、おのれの胸の中で合點したのでござります。

雨の音の、どうやら靜かになつてきたと思ひますと、はやそのまま、日の暮れになつたのでござります。

座敷の中にらんぷを吊しますと、不思議に家の中が空々しうに見えましてなア。子はかすがひやと世間で申します通り、この空々しい家の中に、女と二人、さし向ひに坐つてます中に、なにやら私は、ふいに追ひたてられるよな心持になりましてなア、「俺アここで何してるのや、ほんにここでこの家で、この女とも一度女夫《めをと》になる氣《きイ》か、」と思ひますと、ここまで追ひつめられるよに來てしまうたおのれの身の行末が、いまさらのよに恐しうなつたのでござります。

見れば部屋の片隅に、ちよこんと細《こウま》い行李をおいて、ありありと一ときの間の宿としか見えませぬに、まア何をたよりにおはんは安穩な風してるかと、それさへ不思議に思はれます。

「をかしいなア、何やこの家、よう知つてる家みたいな氣《きイ》するなア。」

「ほんに、あこの板敷の低うなつてるのが、河原町の納戸の間《まア》とよう似てますけに。」

「ふふ、違うてるのは俺の懷具合や。なア、これからどなな苦勞するか、覺悟は出來《でけ》てるなア。」

「へえ、あんさんいうたら、その話ばつかりや。あてはまた、その苦勞がしたいばつかりに、もうながいこと、あくせくしてましたのやわ。ほれ、この針箱の中にしまうてある袋、」とおはんは、まだ置き場も定まらぬ小道具の、蓋あけて何やらそはそはしてると見る間に、ぱらぱらと夥しい小錢が疊の上に轉がり落ちたのでござります。

　その鬱金《うこん》木綿の袋の中に、何ほどの錢が入れてあつたでござりませう。

　おはんの話によりますと、新門前の弟の家で、よそのお人の針仕事もらうては、もう何年となく、細々と貯めてゐたのやとのことでござりますけど、しがない男の身にとりましたら、どう聞き流せばええことでござりませう。ほんに、二人の女に錢もらうて、どう嬉しいやら悲しいやら、人には言へぬ心持でござります。

「ほう、その錢で山買ふか。ほんなら俺アいまから、樂隱居のご身分やな。」

「ほほほほほ、ほんにあんさんは、どこにおいやしても殿さまや、」と聲たてて笑ひながら、疊を這うては銭拾うてるおはんの、そのむつちりと露はな手つきに、われからふいに引き込まれる心持になりましたも、言うたらこの術なさを、逃れる道やと思うたのでございませうか。

「あんさん、」と聲あげて、おはんの、片手を後へ引くやうな振りしましたのと一しよでございます。女の帶に手《てエ》かけて、そのまま奥の間へ引き込うだのでございます。

「悟が、悟がいんま戻るけに……」といふおはんの聲も、そのときの私には、ただ一ときの言ひ逃れに、子供の名《なア》あげてるのやと思はれたのでございます。

「へえ、こなな暗うなつて悟がもどるげな、」となにやら揶揄《かま》ふよに言うてる間も、そのおのれの胸の中は、どなな鬼の棲家となつてましたやら、思ひもかけなんだことでございます。

へい、その暗がりに轉うだまま、短い夢をむすびましたも、いまは人の身の上かと思はれます。

ざわざわと風の鳴る音がして、お大師さまのお看經《かんきん》の聲が、手にとるやうに聞えます。見れば雨戸のあはひから、お堂の前のお燈火《ともし》の、ゆらゆらと風にはためいてゐるさまで、ついそこに見えるのでございます。

そや、鍛冶屋町でもいまごろ、お燈火をあげてるわ、とわれにもなく心の内に呟きますと、今朝起きぬけに捨ててきたおのれの家のありさまが、まざまざと眼に見えるよな氣《きイ》になつたのでござります。

いまはちやうど日の暮れがた、大名小路の店かたづけ、鍛冶屋町へもどる時分やと思ひますと、ついその朝捨ててきたおのれの家が戀しうて、そはそはと落ちつかぬ心持になつたのやと申しましたら、どのやうにお笑ひなされるでござりませう。

言うたら飼ひ馴らされた犬畜生の、日が暮れたら尾をふつて、おのれの家へもどつて行く有様と一つやと言はれましても、返す言葉はござりませぬ。

「そや、俺アちよいとの間、悟がゐん間に、ちよいと行てくるけに、」と仔細らしうに呟いて、帶まきつける間ももどかしう、雨戸おしあけたのでござります。

「あんさん、」と呼ぶ聲につづいて、

「どこへお行きやすのや、今夜はここへお泊りやすのやないのんか、」と呼びとめてるおはんの聲を、まアどなな心で聞き流しましたやら、逃げるやうに下駄はいて、背戸のくぐりを抜けたのでござります。

冷《ひや》こい風に吹きなぶられ、杉垣の露路《ろウぢ》をあたふたと驅け出ますと、思はずそこに足とめて、ほうつと息をいたしました。

見れば雨上りの山の端に、思ひもかけぬまるいお月さまが出てるのでござります。ほんにこの往還が、おのれ一つの身の置きどころかと思ふほど、なにやらほうつと安穏な心持になりましてなア、ええわ、あの女、今宵《よさ》一夜くらゐ、お大師さまがお守護《まもり》や、ぬすつともようはいりはせんやろ、とまだ宿替へのあともそのまま、縄屑《なはくづ》の中においてきたおはんのことは、さほど心にとめなんだも不思議でござります。

　小半町も行たときでござります。なにやらがやがやと人聲がして、沖田の畝道《あぜ》を、騒がしうに馳けてくる人影が見えました。

「お大師さまの裏手の家や、ほれ、あこに灯が見える、」と口々に言うてるのを聞きましたとき、何思うてか私は、そこの杉垣のあはひにさつと身をひそめ、人々の驅けぬけて行くにまかせました。確かにいま、おのれの抜けてきた家へ行く人やと分つてて、私はそこに、ぬすつとのよに身をひそめたのでござります。

「おはん、おはん、」と呼うでる聲が續いて聞えました。そや、あの聲は、あれは確かに新門前の叔父ごや、と思ひますと、私はそのまま、夜道の町を驅けぬけて逃げもどつたのでござります。

　へい、あのおはんを呼うでる聲が叔父ごやと知れませなんだら、あれほどまでに恐れはせなんだやろと思ふのでござりますが、あなたさまもご存じでござりませう、あの新門前の橋の袂で、馬喰《ばくらふ》相手に鍛冶屋をやつてましたあばれ者の平太と申しますのは、あれはおはんの叔父でござります。

それにしてもほんの一とき、あとさきになつたばかりで、人の眼にかからなんだと思ひますと、夜道を驅けぬけながらも、ただそればかりに心をとられましてなア、「そや、新門前の叔父ごや、やれやれ、ほんの一ときの間のことで、あのあばれ者に會はずに濟んだわな、」とただそればかりを繰り返しましてなア、女をあとに殘して、おのれひとり、身の安穩を願うたのやといふことさへ、心にもとめなんだのでござります。

へい、實のこと申しますと、あの鍛冶屋町の堀端から、ついそこに、今朝ぬけて出たわが家の、二階の手摺《てすり》にかけてある手拭の、何事もない風に、ひらひらしてるのを見ましたとき、なにやら夢から醒めたよな心持になりましてなア、「俺アまた、あこで、今夜もおかよと寢るのやなア、」と思ひますと、あれはまア何といふ阿呆な心でござりませう、去年の夏、臥龍橋の上で、はじめておはんと會うてからこの幾月、大名小路と鍛冶屋町と、二つの家を行きつ戻りつしてたよに、今日からは川西の奥に、新しうにまた一つ、家が出來《でけ》たのやと、何食はぬ氣でゐてたのでござります。

あの一夜《よさ》の恐しさは、のちになつてやうやうに、思ひ知られたのでござります。

十二

あけの日は嘘みたやうに晴れた日でござりましてなア、途中《みち》で土産の外郎《うゐらう》買うたりしましてなア、もう何の屈托もない氣《きイ》で、そのお大師さまの横手の家へ、いそいそと行《い》てみたのでござります。

背戸へまはりますと、その眞晝といひますのに、まだ雨戸がしまつてをります。

「おはん、留守か、」と聲かけて、縁の戸をあけますと、暗がりの家の中には、昨日ほどいた荷もそのまま、おはんの姿の見えませぬは、さては昨夜《ゆんべ》の中に、どこへやら行てしまうたかと思ひますと、庭（家の中の土間のこと）の藁屑掻きのけて、あたふたと驅けでて行《い》たさまの、眼に見えるよに思はれます。

俄かに胸さわぎがしましてなア、雨戸もそのまま露路《ろうぢ》へ走り出ますと、

「あの、もし、」と後から聲がして、見覺えのあるお大師さまのご寮人が、お堂の横手に立つてゐてでござりました。

「あの、ご寮人さんは昨夜、新門前のおうちからお人でなア、誰やら怪我人がおあんなさつたげな言うて、」と言うてではござりませぬか。

そこの露路から新門前まで、どう驅けぬけて行きましたやら、いまは覺えもござりませぬ。曲尺町《さしものちやう》の土橋のねきまで參りますと、見覺えのあるおはんの家の黑板塀に、葬列の提灯やの龍の首やの、蓮の花環やのの、夥しう立てかけてあるさまの、さては誰やら死んだのかと思ひましても、誰はばからずおもてからもの問うて、どう返答の聞ける身ではござりませぬ。

「悟やない、あの子供が死んだのやない、」と繰り返し、あこの山手の桑畑ぬけて、米倉のある裏手へまはりました。

あなたさまもご存じのやうに、どこの家の葬列でござりましても、庭のそとに竈《へつつひ》を出すのんが、ここいらの習慣《ならはし》でござりましてなア、膳椀を高うに積んで、煮物炊く煙りの、空まで立ち昇つてゐるあはひを、近所の衆の寄り合うて、がやがやと立ちさわいでゐるさまは、お祭やら葬式やら、見る眼には分らぬほどでござります。

「うちらの子と同じ組《にウ》やけに、よう連れようて行《い》てたけど。」

「ほんでご寮人さんは、加納屋はんとまた撚《より》もどしやはつたてなア。」

「ほんでなア、あの龍江のとこの崖の、松の切株にな、雑嚢《ざつなう》の紐がひつかかつてたげなぞ。」

「なんでまアあの雨の中を、急《せ》かいて戻したか言うてなア。」

「へえエ、そりや無理もないわな、一ときも早うに、お父《とと》とお母《かか》の揃てるとこへ戻りたかつたのやわな、」など言うてる聲聞いたと思ひますと、その人だかりの中を、まアどう驅けぬけて行きましたやら、氣のつきましたときは、裏門ぬけてよりつきの、納戸の間《まア》の板戸押しあけてたのでござります。

「おはん、俺や、加納屋や、」と、ようまア、大聲して人を呼んだりしたものと、後々になりましても、あの折りの狂人《きちがひ》みたよな心持は、え忘れはいたしませぬ。緣の日覆の中まで、夏の日のさし込うでる家の中に、もやもやとお香の煙りがたてこめてましてなア、たしかにそれと見覺えのある親類の衆の誰彼の、一どきに顔振り向けましたもおぼろげに、「おはん、おはん、」と喚いてるおのれの聲の、なにやら他人の聲かと思へたのでござります。

ほんに人の心ほどをかしなものはござりませぬ。七年前、おはんの別れて往にましてから、廣い世界にここばかりは、おのれの足の蹈《ふ》めぬとこと、心に刻んで忘れなんだその家《や》の中に驅け込うで、滿座のお人の眼の前で、何しでかさう氣《きイ》でござりましたやら。

ひいいい、いいと女の泣く聲がして、なにやらへたへたとわが足もとに這ひ寄つたと思ひますと、にはかに溫といものが膝にまつはりましてなア、

「あんさん、悟が死にました。あの、あの南河内の戻りになア、龍江から落ちてなア。」

「そんで、そんで、悟はどこにゐよるのや、」と私は、まつはりつくおはんの體かきのけて、納戸の奥の板敷の間《まア》へ驅け込うだのでございます。

あとになつて考へますと、ちやうどそれは納棺のときやつたと思はれます。

「まア、あんた、加納屋はん、」と誰やら大きな聲して呼ばはつたと思ひますと、にはかにサツとみなの衆の、あとへ退《の》かはつた隙間から、そこに悟の寢てますのが見えたのでございます。

へい、ま新しい浴衣きて、ほんに、どこぞ祭にでも行きますやうな姿のまま、そこに寢てたのでございます。なにやら私は、わが身もそこに引き込まれるよな心持になりましてなア、

「悟！ 俺や、お前のお父はんや、」と掻き口說くよに聲おとして、枕もとに縋りました。

わが子に死なれると申すことは、まアこなな心持やと誰が言うてくれましたらうぞ。去年の冬はじめて悟に會ひましてからこの日まで、親やとも子やとも言はず待ち暮らしてゐたそ

の日に、今日からは親子三人一つ家で枕ならべて寝るのやといふその日に、もうわざとに選つてその日に死んだと申しますは、まアどなな神佛のお思召しでござりませうぞ。「悟！　俺や、お前のお父はんや、」と私はお人の前も忘れましてなア、子供の生きてます間、口に出しては得《え》言はなんだこの一言が、いまさら子供の心に聞えるやろと思うてでござりませうか。

　ま新しい浴衣きた裾のあはひから、よう陽にやけた細い《こウま》足の、ちよこんとそとに出てますさまの哀《かな》しさ。ほんに何やらもの言うてるよに思はれます。「お父はん、大事ないけに、もう何にもいらんやうになつたけに、」と言うてるやうに思はれます。

　あれはつい半月ほど前の日、たしかに悟と二人して、店の奥で暦繰つてきめたその日に、九月十三日大安といふその日に、悟は死んだのやと思ひますと、「ふウん、おつさんの嘘ばつかり……。大人しうにしてゐたら、迎へに來る來る言うて、」と言うて恨んだいつぞやの雨の日のことも思ひ合はされましてなア、なにやら私には、おのれの不甲斐なさを、この細い《こウま》體して、なじつてるよに思はれたのでござります。

　へい、こなときの心持は、あとでは思ひあはすことも出來ませぬけれど、俄かにふウとをかしな心持になりましてなア。そや、俺ア今日のことを、わが子の悟の死ぬことを、あの龍江の崖つぷちから、このおのれが死ぬのやなうて、わが子供の滑り落ちて死ぬことを、もうせんどにから、よう知つてた、まざまざと眼で見るやうによう知つてた、と思うたのでござります。

あれはあの七夕のあけの日、おはんと二人あとさきになつて、お大師さまの横手の家を見に行たときのことでござります。龍江の崖つ淵を通りしな、ほんにおのれの足とられて、すんでのことに辷り落ちて死ぬとこやつたあのときに、あのときに俺ア今日のことを、わが子の悟の死ぬことを、思ひ知つてたはずやないかと、ひよんなこと思うたりしましてなア、篠《しの》つく昨日の雨の中を、山道ぬけて南河内から驅けもどつて來たこの子の姿が、眼に見えるやうに思はれたのでござります。

へい、まざまざと、いまそこに、眼の前に見てますやうに思はれましてなア、向ひ風に傘ひろげて、すぐそこが龍江の崖つ淵やとは思ひもかけず、傘もろとも、そのまま淵に辷り込うだのやと思ひますと、撰りに撰つてこの大雨の日を家移りと決めましたは、この子を殺さうためやつたかと空恐しく、いまこそ神佛の思召しの思ひ知られる心持でござりました。

へい、ちやうどあの日暮れどき、まだ家移りの荷も解かぬ板敷の中で、逃げまどふおはんの手《てこ》おさへ、無理强ひに帯とかせましたは私でござります。「悟が、……悟がいんま戻るけに、」と言うて身をちぢめながら、いつの間にやら私の傍《ねき》に寄り添うて、呼吸《いき》つめてる女のさまのをかしさに、「へえ、こなな暗うなつて悟がもどるげな、」と、わが子の名を呼うで女をかまふ（揶揄《からか》ふの意）つもりでゐたりしてましたあのときに、ちやうどあのときに悟は死んだのでござります。へい、あの同じときに悟は死んで、こなな哀しい姿して、いまこの眼の前にゐてるのでござります。

へい、これが神佛のお罰でなうて何でござりませうぞ。この私の命はおとりなされいで、まだこの上にも私の術なさを増さうとて、この子の命をおとりなされたのでござります。

「ま、加納屋はん、そなに泣かはると、それが一つち佛に毒や。ほれ、その外郎《うゐらう》、ここへお供《そな》へしなはれ、お供へして早う拝うでやんなはれ、」と誰やらくどくどと申しまして、私の持て参りました紙包みを、無理からに棺の傍《ねき》にさし入れたりしましてなア、まア言うたらお人の眼にも、阿呆な男のとりみだした恰好を見兼ねてでござりませう、私の背《せな》を抱くやうにして、奥へ連れ込まうとしやはつたときのことでござります。

「あんさん、早う往んで、」とおはんの消魂《けたたま》しうに呼うでます聲と一しよに、

「皆の衆、この外道《げだう》が悟を殺しましたのや。罪もない子《コオ》をおもてにおびき出して、そんで殺しましたのや、」と大聲にわめきながら、なにやら光るもの手《テエ》に、私めがけて座敷へ驅け込う

で來ましたおばばの、そや、あれは確かに、おはんのお袋さまや、と思ひつく間もあらばこそ、

「おどれエ、(おのれの意) どの面さげてこの家の敷居またぎやアがつたぞ。おどれエ、ようもようも、のこのことこの佛の傍《わき》へ來やアがつたぞ、」と喚きたてながら、刄物もつたお袋さまの背後から、折重なるやうになつて驅け込うできましたは、まぎれもなく、新門前の橋本の、あのあばれ者の平太叔父でござります。

へい、つい昨日の晩、やれやれ顏合せずによう逃げもどつたものやと胸なで下したばかりのあの平太叔父に、たうとうここで押へられたのや思ひますと、そのままそこの板敷にへたへたと屈みましてなア、

「へエい、どうぞ堪《こら》へて遣《つか》さりませ、どうぞ堪へて……」と私は、お人の手前も忘れて、叔父ごの足にしがみつきました。

なにやら肩に重たいものの落ちかかつたよに思ひましたも、一ときのことでござります。

「おどれエ、おどれの性根の直るまで、叩きのめして、のめして……」

「この人でなし奴! 子殺し奴!」と口々に罵つてます聲にまじつて、「お母はん、まア、何言うて、」と言うてるおはんの泣き聲も、夢の中のよに聞えました。立ち騒いでるお人の聲

の中に、お寺さまの讀經《ときやう》の聲も、裏庭の蟬の聲も一しよになつて、どこやら遠いところから聞えてくるよに思はれたのでござりました。

へい、その板敷に打ち据ゑられたまま私は、正氣を失《な》うしてしまうたのでござりました。

十三

さよでござります。悟の四十九日もとうに濟んで、十一月も早や半ばになつた肌寒い日のことでござりました。

へい、あの家でござりますか。あの騷ぎがござりましてから、おかよはもう、氣の狂うたよになりましてなア、「ひとに男をとられるのは、とられる方が阿呆なのや。とられるのがいややつたら、なんで用心せなんだのや、」というたりして、以前にさうでござりましたよりも、なほのこと、私の起伏しの細《こま》かしいことにかかづらひましてなア、そりやあの女《をなご》のことでござりますけに、顔向け合うて彼れ此れと、うつたうしうに言うたりはいたしませねど、日暮れになつて、どこの店にも灯がついて、あちこちでカチカチと火打石うつてる音がしましても、いつまでも二階の座敷にゐてるままでござりましてなア、「ご寮人はん、半月庵から見えましたで。鐵砲小路の釘万の宴會やて、」と呼うだりする聲がしましても、なにやら忙しげにもの片附けたりしてるまま、「言うとくれ、あてはもう、藝者《げいこ》はやめましたて、」と大聲にいうたりするのでござりました。

ほんの一ときの間、大名小路の店へ行《い》て、裏のおばはんに言傳てしたい、氣《きイ》おとして病みついてるのやないか聞きたいと思うてさへ、早鐘のよに胸が打ちましてなア。新門前のお人の手で、お大師さまの裏手のあの家も、きれいに荷《にィ》ひき拂うてしまうたのや言ひますけに、言うたらおのれのしくさつたことを、みな人の手で拭《のご》うてもろてるよな、世にも術ない心持でござりまして、も一度逢ひたい、逢うてたがひに死んで行《い》た子の冥福いのりたいと思はぬ日とてはござりませぬに、この切《せつ》ない心持も、これがおのれのうけました罰の一つやと思ふほかはござりませぬ。

へい、悟のことでござりますか。ほんに氣の迷うてるときと申しますものは、をかしなものでござります。秋になりまして時雨《しぐれ》の多い寒い日なぞ、ふつと家の前を、子供の馳けぬけて行く姿見たよな氣がしましてなア、悟は傘もつて出たかいなと、死んでることも忘れたよに、思ふこともございます。そや、あの子はもうゐんのや、この世に生きてはゐんのやと思ひますと、にはかに足もとをすくはれたよな心持になりましてなア、浄瑠璃の玉手御前ではございませねど、こななとき、迷うて會ひにきはせぬかと、雨戸のそと見ることもたびたびでございます。

あとで思ひますと、おかよはゐべす講《こう》のお詣りで、ほんのちよいとの間、今津のおゐべつ樣に行てたときやつたのでございます。

「加納屋はん、もし、」と誰やら低聲で呼うでるよな氣がしましてなア、見ると門さきの柳の木蔭に、もうながいこと待つてたのでございませう、大名小路のおばはんの行きつ戻りつしてる姿が見えました。

私は轉げるよにして裏木戸をあけました。「おばはん、あの、おはん來ましたやろか、」「ヘエ、そのご寮人はんからや。譯はこの中によう書いたるて、」といふ間も氣づかはしげに、私の手に文のこし、あたふたと驅けて行きました。

見覺えのあるおはんの手《てエ》やと思ひますと、にはかにがたがたと足もとが顫《ふる》へましてなア、「お仙、お仙、」とせからしう娘の名呼ぶ聲もかすれて、「俺ア二階の奥にゐるけに、お母《か》はん戻つてみえたら、大けな聲して呼うでや、」と、どうぞお笑ひなされてくださりませ。心も動《どう》顚《てん》してます筈のこの際《きは》にも、一つ家《や》の中にゐる女に氣を兼ねては、もの言うてる私の愚かさはをかしうてなりませぬ。

「とり急ぎ、しるしあげます。千里萬里も行くやうな、こなな文書き残したりいたしましては、さだめし仰山さうな女《をなご》やとおわらひなされるでござりませう。もう、ずうつとせんどにから、私ひとり決心してをりましたらば、何ごともござりませなんだやろにと思ひますと、あなたさまにも、またあのおひとにも、申譯のないは私でござります。

ほんにこれまでのながい間、待ち暮してをりましたは、なんでやろとわが心にも合點がまゐりませぬなれど、あなたさまに難儀かけ、またあのおひとを押しのけようと思うたりいたしましたことの夢々ござりませぬは、お大師さまもご照覧でござります。

もし私がこのままでゐてまして、そんで世間のお人の眼に立つのでござりましたら、どこぞ嫁入りいたしましてもええのでござりますけれど、それでも間のええことに、もうそなこと考へいでもええ齢《とし》になつてるのやないか、と思うたりしましてなア。

ほんにもう私は、このままひとりでゐてましても、それが當り前や思うてるのでござります。自分でにはもうそれで、何でもないと思うてるのでござりますけれど、おやさしいあなたさまゆゑ、ひよつと、可哀さうやとお思ひなされてではないやろか、ながい一生の間、あなたさまを待ち暮してた、可哀さうな女やとお思ひなされてではないやろか、と思ひますけれど、もしさうでござりましたら、それはあなたさまのお間違ひでござります。

思へばこの私ほど、仕合せのよいものはないやろと思うてるのでござります。あなたさまと一つ家の中に暮しはいたしませなんでも、言うたら夫婦《めをと》になつて、一しよにゐてますよりもなほのこと、あなたさまにいとしいと思はれてたのやないかと思ひましてなア。

ほんに私ほど仕合せのよいものはないやろと思うてますのゆゑ、どうぞ何ごとも案じて下さりますな。

亡《な》うなりましたあの子供も、死んで兩親《ふたおや》の切ない心を拭《のご》うてしもてくれたのや思うてますのでござります。子供にとりましたら、何よりもそれが親孝行や思うてるのやないかと、さう思うてやつてるのでござります。

ほんに、さう思うてやりますのが、何よりの供養になるよに思はれましてなア。

何ごともみな、さきの世の約束ごとでござりますけに、どうぞ案じて下されますな。七七忌の法事もすみましたことゆゑ、いまはもう、この故里の家をはなれましてもええやうに思ひましてなア。どこそこと行くさきのあては申しあげませねど、私ひとり朝夕の口すぎして行きますくらゐ、何とかなるように思ひますけに、どうぞ案じて下さりますな。
ただこの際になりましても、申譯ないはあのお人へのことでござります。私の行きましたあとは、どうぞ私の分まで合せて、いとしがつておあげなされて下さりませ。申しあげたきことは海山ござりますけれど、心せくままに筆をおきます。薄着して、風邪などお引き下されますな。

おはんより

旦那さままゐる」

人の一生に、これほどの文《ふみ》貰うたものがどこの世界にござりませうぞ。どなな遠い國の果てに出て行たとしましても、これほどの文残して、私ひとり安穩に暮せるものやと思うてるのでござりませうか。なんでただの一言《こと》でも、恨《うら》めしうに言うてはくれんのやと思ひますと、いまここに、この眼の前に、あのおはんの體ひき据ゑて、逆恨《さかうら》みに打つて打つて打ちすゑてやつたらばと、まア、どうぞお笑ひなされて下さりませ。これが阿呆な男の未練やとも知らいで、猛《たけ》り狂うたよな心になつたのでござります。
そや、大名小路のおばはんが知つてゐる。あのおばはんが知つてゐんはずがない、と矢も楯もたまらぬ氣《きイ》になりましてなア、鍛冶屋町から鐵砲小路にかけ、日暮れのうす靄に包まれたまま灯をともしてる街道を川沿ひに、南河内へ抜けてる暗い山道へと、いまそこを驅けぬけて行くおはんの姿見てるよな氣《きイ》になつたのでござります。

「お父《と》はん、どこ行かはる！」と甲高いお仙の聲がして、千切れるほどに袂を引かれました。氣のつきましたときには私は、雪駄も穿《は》かず往還に驅け出てたのでござります。「ぢつきにお母《か》はんが戻らはる！　お母はん戻つて來はるけに、」と身を押しつけて泣きながら、私を押し戻さうとするのでござりました。「行つたら不可《あか》ん、不可んてや、」とまぶれついたまま身を捻ぢつてるお仙の、どこまで見當ててるかは知れませねど、言うたら子供の心ほど空恐しいものはござりませぬ。へい、あれはあの、いつぞやの俄か雨の日のこと、裸で雨に濡れてた悟の、「おつさんの嘘ばつかり……」と泣いて恨んだあの聲も、いまこの耳に聞いてるよに思はれます。へい、ぺんぺん草の實ほどもない血筋やとは思うても、おのれの血《ちイ》ひいたただ一人の子を死なせて、なんでこのよその子に、「お父はん、」と呼ばれながら立ちすくむのでござりませうぞ。この稚い娘の力に負かされて、背戸口の暗がりに身を屈《こご》めたまま、わあツと大聲あげて泣くほかはござりませなんだのやと申しましたら、さだめしお蔑《さげす》みなされることやと思ひます。

それから後の幾月日と申しますものは、何して過ごしましたやら。あとで聞きますと、おはんは悟の七七忌の濟みましたあけの日に、ちやうどあのおばはんの文屆けてきました七八日ほども前の日に、出て行たのやいふことでござりますけに、どれほど未練がござりましても、あと追ふすべのないやうに、氣配《きくば》つたよに思はれます。

お人の話によりますと、備中《びつちゆう》玉島の停車場《すてんしよ》の傍《ねき》で、たしかにおはんの立つてるを見たと言ひますけに、ひよつとあそこいらで町家奉公でもしてますことか。へい、死んでしまうたりするはずはござりませぬ。ただ私の眼の前から消えてしまうて、阿呆な男の煩惱をなうしてやろと思うてるに違ひござりませぬ。

「お父《と》はん、お父はん、」と以前にもまして、日がな一日呼うでるお仙の聲にも、また、「男のいらんおひとは、どこの國なと行《い》たらええ。あては男がいるのや、男がほしいのや、」とはばかり氣もなう言うては寄り添うてくるおかよの肌の溫とさも、これがこの私の、お天道《てんと》さまもはばからぬ横道の報いやと、いまこそ思ひ知られるよな心持でござります。』

あとがき

この小説を書き始めたのは、昭和廿一年の十一月頃ではなかったかと思ひます。雑誌「文體」の創刊號にのせ、續けて二號三號にのせました。その「文體」が休刊になったあと、まとめて「中央公論」に再錄して貰ったのでした。

私にとっては、この小説は「始めての作品」であるやうな氣がするのです。これまでにも、小説と名のつくものは幾つか書いて來てゐますが、どれもみな、自然發生的な、行き當りばったりの書き方のものばかりなので、いまの私には、さういふ作風では、小説を書いたとは言へないのではないかと思へて來たからです。

生れて始めて、最初から「かういふ小説」を書かうと思ひ、組立てを考へました。自分の構想が最初にあって、それによって書き始めた最初の小説なのでした。人には言へないことですけれど、心の中でひそかに「氣張って」書いてゐたものですから、實にしばしば、と言ふよりも殆んど始終、書き惱んでばかりゐて、「中央公論」に連載するやうになってからも、一年に二度か一度、ときには一度も書けないことがあったりして、氣がついてみると、十年の歳月が過ぎてゐました。自分でも、最後まで書けないのではないかと思ふこともたびたびだったのです。

「題名が惡いですよ。おはんですから、」と或るとき、中央公論の嶋中社長に言はれました。どうせ中途半端のままで終るのが關の山だと言はれた譯なのですけれど、考へてみますと、この十年の間、嶋中さんの計算によりますと、一ヶ月に一枚の割合でしか原稿を届けることの出來なかった私に對して、腹立たしい氣持であったのは當然だと思ふのです。

この小説は凡て誰かの支へがあって、そのためだけで書き上げることが出來たのだと思ふのです。私は呆れられたり、腹を立てられたり、笑はれたりして、この小説を書き上げました。何故だか分らないのですけれど、さういふ他人の思ひに對してだけでも、この仕事はしあげなければならないやうな氣がしたからです。

しかし、逆にそのために、仕事は一そう進まないやうな氣もしました。さっさと書いて了ったら好いぢゃアないか、一體自分にそれほどの力があると思ってゐるのか、と私は絶えず自分を嘲笑しました。

一口に言って私は、自分の才能の限度を知ったやうな氣がしました。最後の章を書き終ったときには、これで仕事が濟んだと言ふ安堵よりも、何だか分らない情けない氣持になりました。このときの氣持について云々するのは、作家として最大の恥辱だと思ひますけれど。

この小說に出て來る田舍の町は、私の生れ故鄉の岩國に似てゐます。或ひは子供の頃の眼に映った岩國のイメージに似てゐます。もう少し變へて言ひますと、望鄉の思ひで生れ故鄉の町を頭においた氣がしますが、さて、いまの實際の岩國に、あれに似たやうな風景が殘ってゐますものですかどうか。

話し手のあの一種田舍訛りの言葉は、あれは阿波の德島あたりの方言を主として、それに關西訛りと私の田舍の岩國訛りとをまぜ合した、言はば作りものの方言なのですけれど、書き續けて行きます間に、あれでなければ巧く行かないやうな氣がして來ました。

一口に言って、言葉も場所も筋立ても凡て作り物なのですけど、書いてゐます間に、小說中の人物が、一人一人何だか實在の人間のやうに思はれ、泣いたり躓いたりしてゐるやうな氣がして來たのも不思議です。

勿論このことは小說の客觀的な出來ばえとは何の關係もないのですけれど、ただ、ながい間、この小說だけにかかってゐた作者の一種のもう執のやうなものが、作中の人物に反映したやうな錯覺を、私が持ったのではないかと思ひます。

その點で、强ひて言へば、この小說のモデルは私自身であるやうな氣がしてゐます。おはんの中にもおかよの中にも自分がゐるやうに思はれ、話し手のあの男の氣持も、自分の心中を描いたやうに思はれます。

最初に企圖したと思ってゐた「ちゃんと最初にプランを立てた、」私自身、小說の第一作と思ってゐるこの小說も、以上のやうな意味でやはり私小說の或る形態なのではないかとも思はれます。

あるとき人に、「これくらゐの小說を死ぬまでにあと十篇くらゐ書いておきたい、」と話しましたら、言下に、「もう遲いですよ、」と言はれました。私の才能では、これがせい一ぱいの仕事かと思ひますと、何を自慢にして好いのかと思ひます。

宇野千代

解説

「おはん」が木村荘八氏の凝った装釘と挿絵に飾られて中央公論社から刊行されたのは、昭和三十二年（一九五七）六月のことである。だがこの小説は作者があとがきで述べているように、戦後もまもない昭和二十一年の十一月頃から書きはじめられ、雑誌『文體』の一、二、三号にはじめの部分を連載し、後に改めて雑誌『中央公論』に断続的に連載を続け、約十年の歳月を閲みして完成した。さして長大でもない一篇の小説に、十年間もの長い年月をかけ、しかもその間作者がほかの文学作品を書いていないということは、多作、濫作が当り前のようになっている昨今の日本文壇では極めて異例なことであり、作者のこの小説に対する情熱と執着がなみのものではないことを証している。

「宇野さんはこの小説を書くのに十年の時間をかけたという。時間をかけた仕事のいみじさを、はっきり感じる。しかも十年まえ十年あとの記述にむらがない。一つの作にこれだけ打ち込んだ宇野さんに敬意を表したい。」と久保田万太郎氏が初版の帯に書いているが、十年の執筆時間の経過はこの作品から全く感じられず、渾然とした一宇宙をなしているのは驚異である。作者は綿密な創作ノートをもとに、構成のすみずみまで、文章の一字一句まで、まるで巧緻をきわめた手工芸品をつくるように、あるたけの時間をかけて吟味し、工夫し、彫琢したに違いない。それにしろこういう濃密な小説空間を、作者の恣意によりいくらでも改変可能の文章芸術を、同じトーンで十年持続し得たことは、ぼくにとって不思議と言う以外ない。

ぼくの主観的な解説はあとにまわし、初版発刊当時のことをここに記録しておくと、出版された時から既に帯に「全文学愛好家の渇望にこたえる、春琴抄、濹東綺譚につづく昭和文学の古典的名作」をうたわれ、前記久保田万太郎氏のほか、亀井勝一郎氏の「あくまで古風な、日本庶民の、或は凡夫の、懺悔心をひそめた〈かきくどく〉調子で全篇がつらぬかれている。二人の女のあいだを往来するときに生ずる一種のスリルと、最後の方へ行って子供の水死という悲劇が起ることで、息づまるような劇的効果をあげている。」河上徹太郎氏の「木で熟した果実は速成とは味が違う。二人の女にひかれる男の情痴の浅ましさを極度に抽象して、ほとんど観念的な美にまで昇華して描いている。」小林秀雄氏の「近松でも読む様な一種の味わいがあって面白かった。特に初めの方がよいと思った。作者は、時も場所も不問に附し、不思議な魅力を持った話術を創案して、言葉が言葉だけの力で生き長らえたいと言っている様な、一種の小説的幻想世界を発明している。事実に屈服した現代小説界では珍らしい事である。」とうたっている。これほど文壇の玄人である諸家から待たれ、愛され、ほめられた作家はいないであろう。

率直に言ってその頃作者の宇野千代氏は「色ざんげ」などの過去の文学的盛名艶名のみたかい、そして戦後はスタイル社などの出版業や、きもの展覧会などを主催する、意表を衝く派手な言動と、いつまでも老けぬ美貌の持主の名流婦人というように、ぼくなどには印象づけられていた。いわば一種の伝説的、ゴシップ的な文学史上の過去の人物と思っていたのだ。その女性が、忙しい活動のかげにかくれ、営々と創作活動を続け、ついにひとつの作品を完成した。帯などの推薦文を一種の広告、儀礼的讃辞と受けとって読み出したぼくは、文句のつけようのない立派な作品であることを知り、脱帽せざるを得なかった。

ちょうど「おはん」の刊行された昭和三十二年は、「ちょっとした平安朝時代」とさえ言われた女流作家活躍の年に当る。谷崎潤一郎氏の「鍵」室生犀星氏の「杏っ子」井上靖氏の「氷壁」三島由紀夫氏の「美徳のよろめき」などのベスト・セラーもあり、「楢山節考」の深沢七郎氏や開高健氏、大江健三郎氏の新人の登場も注目されつつあった文学的豊穣の年であったが、ことに女流作家の活躍がめざましかった。七十万部売れた「挽歌」の原田康子氏はじめ「黎明」の曾野綾子氏、「まっしろけのけ」の有吉佐和子氏、「花芯」の瀬戸内晴美氏、「悲情の庭」の樋口茂子氏などの若手才女の活躍、佐多稲子氏の「体の中を風が吹く」壺井栄氏の「草の実」平林たい子氏の「沙漠の花」そして円地文子氏の「女坂」宇野千代氏の「おはん」、特に最後の二作「女坂」と「おはん」は年月をかけた作品のあつみによって人々を感動させ、戦前の作家と思われていた二人を完全に戦後に返り咲かせた。円地氏は「女坂」を基点にして、旺盛な創作活動を開始しジャーナリズムの世界にとびこむのだが、それに反し宇野氏は、この傑作一本を出したのみで、再び沈黙に入った。ぼくにとって当時そういうこの作者の態度が歯がゆくも感じられたが、それから十年近い年月がたってみると、この一作を発表したまま沈黙している作者のゆかしさが、かえって「おはん」を貴重な神秘的な作品にしているようにも思える。作者は「おはん」一作により、戦後文学史に不朽の名をとどめたと言ってよい。

作者――自身作成の年譜によると宇野千代氏は明治三十年（一八九七）山口県岩国に生れ、女学校卒業後郷里の小学校教師を経て、十九歳の時、朝鮮にわたり、京都、大阪、東京、札幌と放浪の生活を続け、大正十年、二十五歳の時処女作「脂粉の顔」で『時事新報』懸賞小説の一等に当選し、以後作家生活に入った。昭和十年（一九三五）の長篇「色ざんげ」は、戦争に入る前の爛熟した昭和初年代の男女の心情と風俗を、典型的に描いた作品として高い評価を受け、また画家東郷青児氏とのモデル問題の興味もからんで評判も行きわたった。作者の戦前の代表作であり、昭和十年代文学の重要な長篇である。そして「未練」「別れも愉し」などを経て、昭和十七年『中央公論』に発表した「天狗屋久吉」の聞き書き的手法による作品は戦争下の代表作であり、舟橋聖一氏の「悉皆屋康吉」と共に、職人的立場からの時代に対する貴重な抵抗作品と言うことができる。

戦後の代表作である「おはん」は、戦前の「色ざんげ」戦中の「天狗屋久吉」を綜合、統一した畢生の作品である。「おはん」も、「色ざんげ」もともに複数の女にかこまれ愛されている男の一人称の告白というかたちをとっていることは注目に価する。作者は男を愛する女の立場から書くより、女に愛される男の立場から、男のふんぎり悪い心情を、またそういう男に夢中になる女の心情を描くことの方が得手であるらしい。「色ざんげ」のだらしない男の目から見られた、つゆ子、高尾、とも子の三人の若い女性は何と魅力的であるだろう。作者は自分の中の女に浸り切れず男の目によって女、ないしは自分の姿をたえず意識しているのであろうか。あるいはだらしない男に感情を移入してしまう不思議な倒錯の心理的メカニズムをもっているのかもしれない。もちろん「色ざんげ」の僕と「おはん」の私とは文体、口調からして違う。「おはん」は上方弁関西言葉系の美、のどけさ、とぼけた味を十全に活用した「私」という男の一人称形式で書かれている。この話体は「天狗屋久吉」の飄逸な味のある語りの口調とつらなっている。つまり「おはん」は「色ざんげ」の構成と筋、「天狗屋久吉」の文体と雰囲気とが、渾然一体となった作品であるのだ。

「よう訊いてくださりました。私はもと、河原町の加納屋と申す紺屋の忰でござります」という冒頭の話体調の文章によって、ぼくはもう別の世界にひきこまれたような気になる。すると私というこのふんぎりのつかない男、二人の女にはさまれやにさがっている男に対する反感がはじめから消失してしまい、なにもかも許したくなる。ひとつ上の廿三の今は細《こまか》い家を持っているもと芸妓おかよのことを主人公は意識の表側ではつねに否定的批判的に語っている。おかよと一緒に住むようになったのは、若気のあやまち、ひょんなことのためだと繰り返えし断わっている。しかしおかよの持つ肉体的な魔力、女房的献身的な世話ぶり、独占欲の強さ、家族的エゴイズム、他人のことなど知らぬ顔の猫的冷酷さなどのすさまじい性格が次第次第に読者にわかってくる。こういう女にかまわれたら最後、男は逃げることができないのは当然かも知れぬ。

それに対しおはんは、「どこといふて男の心をひくやうな女《をなご》ではござりませねど、いつでも髪の毛のねっとりと汗かいてゐますやうな、顔の肌理の細こいのが取柄」と目立たぬ平凡な女として設定されている。

「人にもの問はれても、ろくに返答もでけんやうな穏當な女」消えいるように「へい」と答える女、夫が芸者狂いをしてあげくのはて、その女と一緒に住んでも、子供を身ごもったまま親の言う通り自分から退く女、そして親許で肩身の狭い生活をしながら、貞節に子供を育てている女、まるで現代の常識では考えられぬ影のような存在が、夫の口から語られるに従って次第に神秘的な理想の女性として形成されて行く。男の心理もおはんの言動も少しの不自然さも、無理も感じさせずいつか気がついて見たら読者もおはんになりきっている、あるいはおはんに魅せられ、讃仰している、そこのところがこの作品の最大の芸術性であり、他に類のない不思議さである。

「おはん」は「操り人形を真似たような姿で今後の星霜にも永く耐えうるだろう」と三好達治氏が述べているように、浄瑠璃の人形のような美しさがある。だがそれは決して生きた血が通っていない人形という意味ではない。文楽の太夫さんたちが使う人形が、生ま身の人間以上に人間の真実の姿を、極限の美を表現しているという意味である。この語り手の阿呆のような男は実は人形遣いではないか。ぼくは文楽を観る度、人形遣いという芸人の不思議さを考える。どんな名優でも、自分が役者である以上、舞台の上では自分の演じている姿を、美を自分で見ることができない。自分の姿が見えないまま主観的なかんで、演技し美を創っている。ところが人形遣いは、演技している人形を自分の目でたえず見ている。人形に感情を移入し、自分が人形になりきりながら、今この瞬間の人間のかたちはどういう風になっているかたえず眺められる。自分で演じ、創りながら、美や芸の陶酔者だけでなく、鑑賞者享受者にもなり得る。たえざる批判を人形に注いでいる批評家でもあるのだ。

ぼくは宇野千代氏という芸術家の本質は、人形遣いのそれと同じであると考える。人形で八百屋お七のふりをつける吉田文五郎氏は、その時八百屋お七その者であると共に、お七の美を創り、その仕草を批判する芸術家——作家、演出家、そして批評家でもある。それと同じように宇野千代氏は同じ女身のおはんでありおかよであると同時にそれを創り操つる男でもある。人形遣いである男の立場にたった時、女たちの心と姿の美しさ、あわれさが最大に表現できることを知っている。文楽人形と宇野文学とは切り離すことのできぬ関係を持っている。

「この小説のモデルは私自身であるやうな氣がしてゐます。おはんの中にもおかよの中にも自分がゐるやうに思はれ、話し手のあの男の氣持も、自分の心中を描いたやうに想はれます。……以上のやうな意味でやはり私小說の或る形態なのではないかとも思はれます」という作者のあとがきは、このような人形遣いと人形の関係の独特な制作に関する心理的メカニズムを知った時、はじめて理解し得るのである。そして附言すれば、人形遣いと人形という関係こそ、創造と批判とが同時成立し得る芸術の理想的な関係であるとぼくは思う。この作者は性格的、気質的にそういう関係を自然に手に入れ得た幸福な珍らしい芸術家であるのだ。

ぼくは語り手の男の中途半端なふんぎり悪い心理にも共感すると共に、きついおかよにも、ましてあわれの美の極致のおはんにも魅せられる。ぼくの趣味からすればお仙という、「お父はんお父はん」となつき、はやくも媚を得るさかしらにもあわれな少女にもっともひかれる。つまりぼくはいつか多情仏心ともいうべき近代以前の男女の気持になっている。いや超現代的なサディズム、マゾヒズムのデカダンスに導きいれられてしまったのかも知れぬ。夫をほかの女にとられ、逆に日蔭者のようになり、しかも子供まで川に奪われながら、一言の恨みも言わず「ほんに私ほど仕合のよいものはないやろと思つてゐます」と嫌味ではなく言って姿を隠くすおはん、それは心理的マゾヒズムの極致であり、一緒に終日鼻付きあって暮らす夫婦親子の形態では得られぬ純粋な愛とあわれさだけを味わい得た幸福な女、理想の女性かも知れぬ。だがそう言いながら、「男のいらんおひとは、どこの國なと行たらええ、あては男がいるのや、男がほしいのや」と言い捨てるおかよとぬくぬくいる男のおはんをとことんまでいじめたい心理的サディズムにも、共感し得るのだ。ぼくが頽廃しているのか、作者が頽廃しているのか、ともかく怖しい小説である。

そしてこの男が、心からなんの因果かとか罪深いとか、偶然の出会やすれ違いの度に感ずる冷汗の出るような恐怖感、これが実は日本人が持っている唯一の倫理感であるのだ。仏教的、因果応報論の、息子悟の水死に象徴される、呪詛的な世界、西欧近代小説からもっとも遠いこの因果的世界観が、この小説の宇宙の骨格になっているように思える。

奥野健男

宇野千代著
色ざんげ
ある洋画家をモデルに、その情死未遂事件と彼をとりまく三人の女を描いて、すぐれた感覚によって恋する人間の心理を見事に捉える。

泉鏡花著
歌行燈・高野聖
淫心を抱いて近づく男を畜生に変えてしまう美女に出会った、高野の旅僧の幻想的な物語「高野聖」等、独特な旋律が奏でる鏡花の世界。

稲垣足穂著
一千一秒物語
少年愛・数学・星・飛行機・妖怪・A感覚……近代文学の陰湿な風土と素材を拒絶して、時代を先取りした文学空間を構築した短編集。

坂口安吾著
白痴
自嘲的なアウトローの生活を送りながら「堕落論」の主張を作品化し、観念的私小説を創造してデカダン派と称される著者の代表作7編。

石川淳著
焼跡のイエス・処女懐胎
汚ない浮浪児に一瞬、キリストの姿を見る「焼跡のイエス」をはじめ、人間を地上の制約から解き放つために大胆な想像力で描く全9編。

石原慎太郎著
太陽の季節
文学界新人賞・芥川賞受賞
太陽族を出現させ、文壇に大きな波紋を投じた芥川賞受賞作「太陽の季節」は、戦後の社会に新鮮な衝撃を与えた記念碑的作品である。

川端康成著　**舞姫**

敗戦後、経済状態の逼迫に従って、徐々に崩壊していく〝家〟を背景に、愛情ではなく嫌悪で結ばれている舞踊家一家の悲劇をえぐる。

川端康成著　**千羽鶴**

志野茶碗が呼び起こす感触と幻想を地模様に、亡き情人の息子に妖しく惹かれ崩壊していく中年女性の姿を、超現実的な美の世界に描く。

石坂洋次郎著　**青い山脈**

北国の中学校を舞台にくりひろげられる明るい青春譜。封建的な旧世代と、若鮎のような青年たちとの交流が、多くの共感を呼ぶ傑作。

田中英光著　**オリンポスの果実**　池谷賞受賞

太宰の墓前で命を絶った著者の処女作。オリンピックのボートのクルーとして渡米する青年の、あこがれと誇りを謳い上げた青春の書。

谷崎潤一郎著　**痴人の愛**

主人公が見出し育てた美少女ナオミは、成熟するにつれて妖艶さを増し、ついに彼はその愛欲の虜となって、生活も荒廃していく……。

谷崎潤一郎著　**春琴抄**

盲目の三味線師匠春琴に仕える佐助は、春琴と同じ暗闇の世界に入り同じ芸の道にいそしむことを願って、針で自分の両眼を突く……。

太宰治著　斜陽

〝斜陽族〟という言葉を生んだ名作。没落貴族の家庭を舞台に麻薬中毒で自滅していく直治など四人の人物による滅びの交響楽を奏でる。

太宰治著　ヴィヨンの妻

新生への希望と、戦争の後も変らぬ現実への絶望感との間を揺れ動きながら、命をかけて新しい倫理を求めようとした文学的総決算。

太宰治著　きりぎりす

著者の最も得意とする、女性の告白体小説の手法を駆使して、破局を迎えた画家夫婦の内面を描く表題作など、秀作14編を収録する。

石川達三著　蒼氓（そうぼう）
芥川賞受賞

昭和の初期にブラジルに移住した貧しい農民の群れ。その苦闘の姿をみごとに捉えた作品で、第一回芥川賞を受賞した著者の出世作。

石川達三著　青春の蹉《さ》跌《てつ》

生きることは闘いだ、他人はみな敵だ――貧しさゆえに充たされぬ野望をもって社会に挑戦し、挫折していく青年の悲劇を描く長編。

石川達三著　四十八歳の抵抗

家庭には妻と適齢期の娘がある善良なサラリーマン、四十八歳の西村耕太郎は、酒場の少女ユカに恋して平凡な人生に抵抗を試みた。

おはん

新潮文庫　う－1－2

昭和四十年一月三十日　発行
平成八年十月十日　四十七刷

著者　宇《う》野《の》千《ち》代《よ》

発行者　佐藤隆信

発行所　株式会社　新潮社

郵便番号　一六二
東京都新宿区矢来町七一
電話　編集部(〇三)三二六六—五四四〇
　　　読者係(〇三)三二六六—五一一一
振替　〇〇一四〇—五—八〇八

価格はカバーに表示してあります。

印刷・株式会社光邦　製本・憲専堂製本株式会社

ISBN4-10-102702-1 C0193